iBoy

iBoy

Kevin Brooks

DESTINO

© 2011, Editorial Planeta Mexicana, S.A. de C.V.
Bajo el sello editorial DESTINO M.R.
Avenida Presidente Masarik núm. 111, 2°. piso
Colonia Chapultepec Morales
C.P. 11570 México, D.F.
www.editorialplaneta.com.mx

Los reconocimientos en la página 255 constituyen una extensión de la
página legal.

Título: *iBoy*
Traducción: Alejandra Ramos
Diseño de portada: Ramón Navarro
Foto de portada: Shutterstock
Formación de interiores: Ma. Alejandra Romero I.

Primera edición en México: junio de 2011
ISBN: 978-607-07-0798-8

Impreso en los talleres de Litográfica Ingramex, S.A. de C.V.
Centeno núm. 162, colonia Granjas Esmeralda, México, D.F.
Impreso y hecho en México – *Printed and made in Mexico*

Para Dave y Steve, mis excelentes y amadísimos hermanos.

La fórmula para calcular la velocidad de un objeto en caída desde una altura dada, es: $v = \sqrt{(2ad)}$, en donde v = velocidad, a = aceleración (9.81 m/s^2) y d = distancia.

El teléfono móvil que me hizo pedazos el cráneo era un iPhone 3GS de 32 GB. Pesaba 135 gramos, medía 115.5 mm x 62.12.3 mm, y, en el momento del impacto, viajaba a 120 kilómetros por hora aproximadamente. Sin embargo, yo no estaba al tanto de esta información en ese momento. Lo único que sabía, lo único de lo que estaba vagamente consciente era del objeto negro que cayó volando hacia mí a toda velocidad, a través del cielo del atardecer y luego...

¡CRACK!

Un *flash* momentáneo de dolor cegador...

Y luego, nada.

Veinte minutos antes, todo parecía perfectamente normal. Era viernes 5 de marzo y en las calles aún permanecían los restos de nieve de la semana anterior. Salí de la escuela a las tres treinta en punto, la misma hora de siempre, y caminé a casa sintiéndome como casi siempre me sentía: más o menos bien, pero no genial. Solo, pero no solitario. Un tanto abatido por lo que sucedía, pero en realidad no estaba preocupado por algo en particular. Estaba en mi estado natural, perfectamente normal y ordinario: era Tom Harvey, un chico de dieciséis años del sur de Londres. Sin grandes problemas, sin secretos ni fobias, sin vicios ni pesadillas, sin talentos especiales... No tenía una historia propia qué contar. Era sólo un chico, eso era todo. Por supuesto que, al igual que todos los demás, tenía esperanzas y sueños, pero eso era precisamente lo que eran: esperanzas y sueños.

Y supongo que mientras caminaba por la Avenida Principal y luego por Crow Lane, hacia el conjunto de departamentos en donde vivía, la conocida zona de expansión urbana conocida como Crow Town (su nombre oficial es Conjunto Crow Lane, pero todos lo llaman Crow Town), una de esas esperanzas, uno de aquellos sueños era justamente la chica en la que estaba pensando.

Su nombre era Lucy Walker.

Llevaba años de conocer a Lucy: desde que ambos éramos pequeños y vivíamos en departamentos contiguos. A veces, su mamá trabajaba como niñera para mi abuela, y, en otras ocasiones, mi abuela trabajaba de niñera para ella. Después, Lucy y yo crecimos un poco, y entonces solíamos pasar mucho tiempo jugando. Jugábamos en los departamentos, en los corredores, en los ascensores, en los columpios y en todos aquellos artefactos de la zona de juegos que había en el conjunto de departamentos. Ahora Lucy ya no vivía junto a mí, pero continuaba en el mismo edificio (Compton House). Estaba unos cuantos pisos más arriba y yo todavía me llevaba bastante bien con ella. La había visto algunas veces en la escuela. Ocasionalmente caminábamos juntos de regreso a casa y, de vez en cuando, iba a su departamento y me quedaba un rato, o ella venía al mío…

Pero ya no jugábamos juntos en los columpios.

Y como que yo extrañaba eso.

Había muchas cosas que extrañaba de Lucy Walker.

Fue por eso que me pareció agradable que se acercara a mí en el patio de la escuela ese día y me preguntara si podía visitarla al salir de clases.

—Tengo que hablarte sobre algo —dijo.

—Okey —le contesté—. No hay problema. ¿A qué hora?

—¿Como a las cuatro?

—Okey.

—Gracias, Tom.

Y desde entonces, he estado pensando en eso.

Justo ahora, mientras atravesaba la porción de césped que separa la calle Crow Lane de Compton House, me preguntaba sobre qué querría hablarme. Tenía la ilusión de que fuera algo sobre ella y sobre mí, pero, en el fondo, sabía que lo más probable era que no fuera así. Lo más seguro era que, una vez más, el asunto tuviera que ver con su estúpido hermano. Ben tenía dieciséis años, era un año mayor que Lucy (pero como cinco años más estúpido), y recientemente había comenzado a desviarse un poco del camino: no asistía a la escuela, se juntaba con los chicos equivocados y fingía ser alguien que no era. A mí realmente nunca me había caído bien Ben, pero no era un chico tan malo. Era sólo un poco idiota y se dejaba manipular, pero, claro que eso no es lo peor que puede haber en el mundo. Sin embargo, Crow Town es el tipo de lugar en el que los idiotas que se dejan manipular se convierten en presas fáciles. Porque el lugar los devora, los escupe y los convierte en nada. Mientras atravesaba la reja que lleva a la plaza de Compton, adiviné sobre qué quería platicar Lucy. ¿Estaba enterado de qué se traía entre manos? Porque ella quería enterarse. ¿Había escuchado algo?, ¿podía hacer algo al respecto?, ¿podría conversar con él?, ¿podía tratar de hacerlo entrar en razón? Y, por supuesto, yo le diría: "Sí, claro. Hablaré con él y veré qué puedo hacer". A pesar de saber que no serviría de nada, pero con la esperanza de que, de cualquier manera, Lucy en verdad valorara mi intervención...

Miré mi reloj.

Eran diez para las cuatro.

Me quedaban veinte segundos de normalidad.

Recuerdo que mientras caminaba por la plaza hacia la terraza frontal del edificio, comprendí que, a pesar de la pasta de nieve en el piso y de la helada sensación del aire, en realidad era un día muy agradable. Era fresco, brillante y claro; los pájaros cantaban en el soleado cielo primaveral. El típico barullo enloquecedor del conjunto de edificios casi apagaba las canciones de las aves: gritos distantes, coches acele-

9

rando, perros ladrando, música desparramándose desde una docena de ventanas a distintas alturas; y a pesar de que el sol brillaba en lo alto y de que el cielo se veía más azul que nunca, sobre la plaza que rodeaba Compton House se cernía una inmensa y lúgubre sombra.

A pesar de todo, era un día bastante bonito.

Me detuve un momento y volví a mirar el reloj, preguntándome si no estaría llegando demasiado temprano. A las cuatro, había dicho Lucy, y todavía faltaban diez minutos. Pero entonces recordé que no había dicho exactamente a las cuatro, ¿verdad? Había dicho *como* a las cuatro.

Volví a ver el reloj.

Eran nueve minutos y medio para las cuatro.

Eso era *como* a las cuatro, ¿o no?

(Me quedaban cinco segundos.)

Respiré hondo.

(Cuatro segundos…)

Me dije que no debía ser tan estúpido…

(Tres…)

Y estaba a punto de comenzar de nuevo cuando escuché un grito lejano que venía de lo alto:

—¡Hey, HARVEY!

(Dos…)

Era una voz masculina que venía de muy arriba, de algún lugar cerca de la parte más alta del edificio. Por un momento creí que era Ben, pero no había *razón* alguna para que Ben me gritara. Lo creí sólo porque había estado pensando en él y vivía en el piso treinta, y era hombre…

Miré hacia arriba.

(Uno…)

Y entonces fue que lo vi: el pequeño objeto negro que cayó volando hacia mí, a través del cielo del atardecer y luego…

¡CRACK!

Un *flash* momentáneo de dolor cegador…

Y luego, nada.
(Cero)
El fin de la normalidad.

El sistema binario usa solamente los dígitos 0 y 1. Los núme-
ros se expresan en potencias de dos en lugar de potencias de
diez como en el sistema decimal. En la notación binaria, el 2
se escribe como 10, el 3 como 11, 4 como 100, 5 como 101 y
así sucesivamente. Las computadoras realizan sus operacio-
nes en notación binaria y los dos dígitos corresponden a dos
lugares que van cambiando. Por ejemplo, encendido o apaga-
do, sí o no. Todas las cosas fluyen a partir de este estado de
encendido-apagado, sí-no.

Lo siguiente que recordaba (o por lo menos, lo siguiente de lo que
tenía conciencia) era que había abierto los ojos y que miraba una polvo-
rienta lámpara de luz fluorescente en un techo que no me parecía conocido. La cabeza me dolía horrores, la garganta estaba tan seca como un
hueso y no tenía esa sensación de "todavía no estás del todo ahí" que
te da cuando acabas de despertar de un sueño muy prolongado. A
pesar de todo, no me sentía cansado. Tampoco tenía sueño ni estaba
aturdido. De hecho, fuera de la sensación de "todavía no estás del
todo ahí", me sentía despierto a un punto increíble.

Durante un rato no me moví ni hice ruido, sólo me quedé ahí inmóvil por completo, mirando la lámpara del techo, asimilando de manera
irracional todos los detalles. La lámpara estaba rota de un extremo, el
plástico era viejo y estaba maltratado, había dos moscas muertas boca
arriba sobre el polvo…

Luego cerré los ojos y sólo escuché.

Podía oír tenues pitidos, algo que zumbaba y un suave golpeteo.
Al fondo también podía escuchar el murmullo de voces apagadas, un
ligero crujido de puertas amortiguadas, el débil repiqueteo de un teléfono, el lejano sonido metálico de carritos de servicio…

Dejé que los sonidos circularan con libertad y dirigí la atención hacia mí. Hacia mi cuerpo, mi posición, mi lugar.

Estaba recostado en una cama bocarriba. Mi cabeza descansaba sobre la almohada. Podía sentir algo sobre la piel, en la piel, bajo mi piel. Algo que subía por mi nariz, algo que bajaba por la garganta. En el aire había un ligero aroma a desinfectante.

Sin mover la cabeza abrí de nuevo los ojos y miré alrededor.

Estaba en una pequeña habitación blanca. Había máquinas junto a la cama. Instrumentos, contenedores, suero, termómetros, foquitos LED. Varias partes de mi cuerpo estaban conectadas a algunas de las máquinas a través de una organizada maraña de tubos de plástico transparente: mi nariz, la boca, el estómago… otros lugares. Asimismo, una buena cantidad de delgados cables negros que salían de otra máquina, parecían estar conectados a mi cabeza.

Cuarto de hospital…

Estaba en un cuarto de hospital.

"No pasa nada", me dije. No hay problema. Estás en un hospital, eso es todo. No hay nada de qué preocuparse.

Cuando volví a cerrar los ojos para tratar de apaciguar el palpitar de mi cabeza, escuché una profunda inhalación a mi izquierda, un sonido característicamente humano, y cuando abrí los ojos y giré la cabeza me sentí bastante aliviado al reconocer la despeinada silueta de mi abuela. Estaba sentada en una silla recargada en la pared. Tenía su *laptop* en el regazo y los dedos sobre el teclado. Me veía. Su mirada era una mezcla de conmoción, incredulidad y deleite.

Le sonreí.

—Tommy —susurró—. Ay, gracias a Dios…

Y entonces, sucedió algo *muy* raro de verdad.

¿Cómo describes algo indescriptible? Es decir, ¿cómo describes algo que está más allá de la comprensión humana? ¿Cómo puedes *siquiera* comenzar a explicarlo? Supongo que es un poco como tratar de explicar lo que hace un murciélago para sentir lo que le rodea. El murciélago percibe el mundo a través de su sentido de ecolocación: emite un sonido y, a través del eco que éste produce, puede determinar la localización, tamaño y forma de los objetos. A pesar de que los humanos podemos entender este concepto y de que hasta podemos tratar de imaginarlo, en realidad no tenemos manera alguna de experimentarlo, y por lo tanto, nos resulta imposible describir la experiencia sensorial real.

Lo que sucedió en mi caso fue que, cuando miré a mi abuela y ella susurró mi nombre, dentro de mi cabeza experimenté un fenómeno por completo ajeno a cualquier otra situación que hubiera vivido antes. En pocas palabras, no pude ni digerirlo. Sucedió. Me estaba sucediendo y, sin duda alguna, me estaba sucediendo a mí. Estaba sucediendo *dentro* de mí… y sin embargo, no había forma posible de que eso tuviera algo que ver con mi persona.

Era *imposible*.

Pero así fue.

La mejor manera que se me ocurre de describirlo, es la siguiente: imaginen mil millones de abejas. Imaginen el sonido de mil millones de abejas, imaginen cómo se ven mil millones de abejas, la *sensación* de mil millones de abejas. Imaginen su movimiento, su interacción, las conexiones entre ellas, su *ser*. Y luego traten de imaginar que esas abejas no son abejas y que esos sonidos, imágenes y sensaciones en realidad no son sonidos, imágenes ni sensaciones en lo absoluto. Son algo más. Son información. Hechos. Cosas. Son datos. Son palabras y voces, y fotografías, y números. Son ríos y ríos de ceros y unos, pero, al mismo tiempo, tampoco son *nada* de estas cosas… De alguna manera, esos ríos son solamente aquello con lo que se *representan* las cosas. Son la representación de partes constitutivas, de bloques de construcción, estructuras, partículas, ondas… son símbolos de aquello que los objetos *son*. Y luego, si les es posible, traten de imaginar que no sólo pueden percibir todo lo relacionado con estos miles de millones de cosas que no son abejas (su carencia colectiva de sonido, carencia colectiva de imagen, carencia colectiva de percepción), sino que también pueden percibir todo eso en su aspecto individual. El aspecto individual de todas esas sensaciones… percibido al mismo tiempo. Y luego imaginen que ambas sensaciones son instantáneas, continuas e inseparables.

¿Pueden imaginarlo?

Están en una cama de hospital sonriéndole a su abuelita y en cuanto ella los mira y susurra su nombre: *"Tommy. Ay, gracias a Dios…"* miles de millones de no-abejas cobran vida en una explosión dentro de su cabeza.

¿Se lo pueden imaginar?

No existió absolutamente nada de *tiempo* en el fenómeno. En cierto sentido, duró mucho menos que un momento, menos que un instante… Fue una indescriptible e instantánea explosión de locura en mi cabeza. Sin embargo, por otra parte, para ser un poco más preciso, ni siquiera duró menos de un momento. De hecho, no *duró* nada. Todo sucedió fuera de los márgenes del tiempo, más allá de su existencia… como si el siempre-ahí y el nunca-ahí fueran una sola cosa y exactamente lo mismo.

Aquella desconocida experiencia no me provocó dolor, pero la conmoción que me causó me hizo cerrar y apretar los ojos con muchísima fuerza, y torcer mi rostro como si *estuviera* sufriendo un dolor espantoso. Y entonces escuché cómo mi abuela maldecía entre dientes, se levantaba trabajosamente, tiraba su computadora al piso y salía corriendo y gritando a todo pulmón…

—¡Enfermera!, ¡ENFERMERA!

—Está bien, Abue —le dije al tiempo que volvía a abrir los ojos.

—Estoy bien… fue sólo que…

—Quédate recostado, Tommy —dijo, corriendo hacia mí—. Ya viene la enfermera… sólo tranquilízate.

Se sentó en el borde de la cama y me tomó de la mano.

Le volví a sonreír.

—Estoy bien.

—Shhh…

Y entonces, entró la enfermera acompañada de un doctor con bata blanca. Todos comenzaron a armar alharaca alrededor de mí: revisaron los aparatos, me observaron los ojos, escucharon mi corazón…

Estaba BIEN.

Bueno, no estaba *BIEN*, pero sí estaba BIEN.

Había estado en coma durante diecisiete días. El iPhone me había abierto la cabeza y fracturado mi cráneo y, según el doctor Kirby, el neurocirujano que me operó, había surgido una cantidad importante de complicaciones.

—Tienes lo que llamamos fractura craneal cominutada —me explicó al día siguiente de que desperté—. Básicamente significa que este hueso de aquí… —indicó el área alrededor de la herida con puntadas que estaba al lado de mi cabeza—, se pulverizó. Por cierto, es un área conocida como el *pterion*. Por desgracia es la parte más frágil del cráneo y, por alguna razón, en tu caso parece ser mucho más frágil.

En cuanto dijo la palabra *pterion*, hubo un *flash* en mi cabeza. Fue una serie de símbolos, letras y números (o no-símbolos, no-letras y no-números), y, a pesar de que no los reconocí ni los entendí, de alguna forma me pareció que tenían lógica.

De pronto me encontré pensando: Pterion: *división silábica*, pterion, *punto donde los huesos frontal, parietal y temporal, convergen con el ala de esfenoides.*

Muy extraño.

—¿Te sientes bien? —me preguntó el doctor Kirby.

—Sí, sí, claro, estoy bien —le aseguré.

—Bien, como decía —continuó—, al parecer el iPhone fue lanzado del piso más alto del edificio y, cuando golpeó tu cabeza, junto al *pterion*, ésta área de aquí se pulverizó y, entonces, una enorme cantidad de fragmentos de cráneo roto y piezas del teléfono en pedazos laceraron e hirieron tu cerebro. También algunas venas sufrieron daño. Logramos retirar todos los fragmentos de hueso, así como la mayor parte de los desechos del teléfono. Creemos que las venas que sufrieron ruptura no quedaron dañadas de forma permanente. Sin embargo…

Como que ya me imaginaba que venía un *sin embargo*.

—…me temo que nos fue imposible retirar varias piezas del teléfono que se quedaron incrustadas en tu cerebro en el accidente. Algunos de los fragmentos son increíblemente diminutos y se alojaron en áreas que son demasiado delicadas para manipular en una cirugía. Claro que hemos mantenido una inspección de los fragmentos, y por el momento te puedo decir que no se han movido ni han mostrado tener ningún efecto perjudicial para tu cerebro.

Lo miré. "¿Por el momento me puede decir?"

Él sonrió.

—Vaya, el cerebro es un órgano muy complejo y, para ser honestos, apenas estamos empezando a comprender cómo funciona. Vamos, déjame mostrarte…

Se pasó los siguientes veinte minutos mostrándome rayos X, tomografías computarizadas y resonancias magnéticas, enseñándome dónde se habían alojado los minúsculos fragmentos de iPhone en mi cerebro, explicándome qué tipo de cirugía me habían practicado y por qué no se podían retirar los fragmentos. También me dijo lo que debía esperar durante los siguientes meses: dolores de cabeza, náuseas, agotamiento…

—Por supuesto —añadió—, la verdad es que no tenemos manera de saber cómo se va a recuperar *alguien* de este tipo de lesión, en especial una persona que ha pasado un lapso considerable en coma. Es por ello que ahora tengo que señalar lo importante que será que nos hagas saber, *de inmediato*, si comienzas a sentir cualquier cosa… mmm, fuera de lo común.

—¿Qué tan fuera de lo común?

El doctor volvió a sonreír.

—Cualquier cosa —su sonrisa se desvaneció—. Hay una probabilidad muy baja de que las piezas que se quedaron incrustadas se muevan, pero tampoco podemos descartarla —me miró—. Desde que ingresaste al hospital, hemos estado monitoreando tu actividad cerebral de manera continua y todo ha estado bien la mayor parte del tiempo. No obstante, hubo un par de días, hace poco más de una semana, en que notamos algunos patrones cerebrales poco comunes; es posible que los haya causado alguna reacción adversa a los fragmentos. Ahora bien, aunque estas ligeras anormalidades no duraron mucho y no se han repetido desde entonces, las lecturas que nos preocuparon fueron, digamos… —hizo una pausa mientras trataba de encontrar la palabra adecuada.

—¿Bizarras? —le sugerí.

Asintió.

—Sí, bizarras —volvió a sonreír brevemente—. Estoy seguro de que no debes preocuparte demasiado por eso, pero, claro, siempre es mejor prevenir que lamentar. Así que, como ya te dije, si llegas a *tener* algún problema, de cualquier tipo, debes avisarle a alguien de inmediato. Te vamos a tener aquí otra semana más o menos, para asegurarnos de que todo esté bien, así que si sientes algo raro, sólo tienes que avisar. A mí o a las enfermeras o a cualquier persona. Y cuando te vayas a casa, si llegara a suceder cualquier cosa, le puedes comentar a tu abuela o también puedes llamar tú mismo al hospital —hizo una pausa y me miró—. Porque creo que en casa sólo están tú y tu abuela, ¿no es así?

Asentí.

—Sí, mi mamá murió cuando yo era bebé. La atropellaron.

—Sí, me lo contó tu abuela —volvió a mirarme—. Me dijo que el conductor no se detuvo…

—Así es.

—¿Y la policía nunca encontró al culpable?

—No.

Sacudió la cabeza con tristeza.

—¿Y tu padre…?

Encogí los hombros.

—Nunca lo conocí, fue un tipo con el que mi mamá se acostó sólo una noche.

—¿Entonces tu abuelita te ha cuidado desde que eras bebé?

—Ajá. Mamá tuvo que volver al trabajo poco después de tenerme, así que, de cualquier forma, Abue me ha cuidado casi siempre. Cuando murió mamá, Abue sólo siguió cuidándome como ya lo había estado haciendo.

El doctor Kirby sonrió.

—¿La llamas Abue?

—Ajá —le dije un poco avergonzado—. No sé por qué, es sólo que así le he dicho siempre.

Volvió a asentir.

—Es una mujer muy valerosa y decidida.

—Lo sé.

—En estos diecisiete días no se ha separado de ti. Ha estado aquí día y noche, hablándote, observándote, animándote a despertar.

Sólo pude asentir con la cabeza. Me daba miedo decir algo y comenzar a llorar.

El doctor Kirby sonrió.

—Estoy seguro de que ella significa mucho para ti.

—Significa todo para mí.

Sonrió de nuevo. Se puso de pie y colocó su mano sobre mi hombro.

—Muy bien, entonces, Tom…, le di a tu abuela un número directo en caso de que tuvieran que ponerse en contacto con nosotros de emergencia ahora que ya estén en casa. Así que, ya te lo dije, cualquier cosa y le dices a tu abuela o nos llamas tú mismo. ¿Tienes un celular?

Me di unos golpecitos al lado de la cabeza.

Él sólo sonrió.

—Ajá —le dije—. Claro que tengo un celular.

Más tarde, en los baños del hospital, me miré con cuidado en el espejo por primera vez desde el accidente. Ya no me parecía mucho a mí. Para empezar, había perdido un poco de peso y, a pesar de que siempre había sido bastante delgado y estaba acostumbrado a ello, ahora mi rostro tenía una apariencia esquelética, como si estuviera poseído. Los ojos se me habían hundido un poco más en sus órbitas y tenía la piel algo dura. Se sentía plastificada y tenía un tono gris amarillento. Mi alguna vez largo cabello rubio que alguna vez tuve había desaparecido porque me habían tenido que rapar para la operación. En lugar de cabello, ahora tenía una mortificantemente suave cosechita de bebé, talla 1. Parecía Skeletor con un trocito de felpa amarilla en la cabeza.

Por alguna razón, la piel que rodeaba la herida todavía estaba completamente calva. Eso me hacía lucir mucho más bizarro. La herida misma, una zigzagueante raya negra de veinticinco puntadas, corría en diagonal de la parte superior de mi oreja derecha, hasta la zona de la frente de ese mismo lado, como a unos diez centímetros arriba del ojo.

Me incliné un poco más hacia el espejo y, con la punta de mi dedo, toqué con cuidado la herida. Tuve que quitar el dedo de inmediato porque sentí que una descarga eléctrica lo atravesaba. No fue muy fuerte, más bien como esos toques que dan a veces cuando abres la puerta del coche. Me tomó por sorpresa, de cualquier forma. Supongo que porque no me lo esperaba en lo absoluto.

Fue algo fuera de lo común.

Vi la punta de mi dedo y luego miré en el espejo la herida que tenía en la cabeza. Durante un momento pensé que había visto algo, un tenue resplandor en la piel que rodeaba la herida, algo como… no sé. Algo que no había visto nunca antes. Un resplandor de algo desconocido.

Me incliné más hacia el espejo y volví a mirar.

Ya no se veía nada.

Ningún resplandor.

Estaba cansado, creí que eso era todo.

"¿Ah, sí? —me pregunté a mí mismo— "¿Y qué hay de los miles de millones de no-abejas y de la definición de *pterion* que, de manera inexplicable, apareció de la nada en tu mente? ¿Eso también sería sólo cansancio?"

No me contesté.

Estaba demasiado cansado.

Salí de los baños, me dirigí a mi habitación y me metí a la cama.

A menudo, los términos "Internet" y "World Wide Web" se usan de manera indistinta a pesar de que no son lo mismo. Internet es un sistema de comunicación de información global, una infraestructura de redes de computadora que están interconectadas, enlazadas por alambre de cobre, cables de fibra óptica, conexiones inalámbricas, etcétera. Por otra parte, la World Wide Web —una serie de documentos y otras fuentes interconectados, enlazados por hiperligas y URLs— es uno de los servicios que se comunican a través de Internet.

Ahora que ya no estaba en coma, y que parecía estar volviendo a la normalidad, Abue había aprovechado para ir un par de horas a casa para darse una ducha, cambiarse de ropa y arreglar cualquier asunto que hubiera surgido. Como dijo el doctor Kirby, Abue había estado sentada junto a mí los diecisiete días, casi sin interrupción, y ahora, al fin podía comenzar a relajarse un poco.

Así que, por primera vez desde que desperté, estaba sólo en mi cuarto del hospital. Y ahora que estaba solo, por fin podría dedicarme a pensar las cosas.

Por supuesto, lo que más ocupaba mi atención era lo que el doctor Kirby había llamado mi "accidente".

No lo había olvidado.

Cualquier problema que me hubiera llegado a provocar la lesión en la cabeza, ciertamente no ocasionó ninguna pérdida de memoria de corto ni de largo plazo. Sabía quién era, sabía lo que me había sucedido y sabía que *no* había sido un accidente.

Podía recordar con mucha claridad el grito que provino de los pisos de arriba "¡Hey, HARVEY!" y también podía recordar que por un momento creí que era Ben, el hermano de Lucy, y que me gritaba desde su departamento en el piso treinta. Podía recordar que miré hacia arriba y vi el iPhone desplomándose sobre mí...

Pero lo que no podía recordar muy bien, detalle que estaba tratando de recordar justo ahora, era la figura que vi por un instante asomada desde el piso treinta, la figura que había arrojado el teléfono... que *me* había arrojado el teléfono.

No había sido un accidente.

¡Hey, HARVEY!

Estoy seguro de que no era la voz de Ben.

¡Hey, HARVEY!

Y definitivamente, no había sido un accidente.

Cerré los ojos y hurgué en mi memoria, traté de enfocar la figura, traté de mirar su rostro... pero no pude hacerlo. Estaba demasiado lejos y tenía la impresión que, de todas formas, estaba usando una capucha, una sudadera negra con capucha. A pesar de todo, eso en realidad no significa nada porque todos los chicos de Crow Town usan sudaderas negras con capucha... o, por lo menos, todos los chicos que pertenecen a alguna pandilla. Ellos casi siempre usan sudaderas negras con capucha y pantalones deportivos negros. No es un uniforme ni nada por el estilo, es sólo que, si usan el mismo tipo de prendas, es más difícil que los identifiquen.

Tenía los ojos cerrados y una sensación de sueño me hacía divagar, así que, en ese momento, decidí abandonar mis intentos de descubrir quién era la persona de la ventana, y preferí dirigir mi atención al detalle mismo de la ventana desde la que se asomaba. Definitivamente era el piso treinta porque Compton House tiene treinta pisos y la imagen en mi cabeza mostraba con toda claridad que la ventana estaba en el último piso.

El piso donde vive Lucy...

Visualicé su departamento y la ventana, y traté de empatar la posición de la ventana que tenía en la mente, con la posición de la ventana de Lucy... y luego traté de recordar quién más vivía en el piso treinta, y en dónde vivía esa persona en relación al departamento de Lucy.

Pero sentía la cabeza más y más pesada, tenía muchísimo sueño…
Era demasiado difícil concentrarse.
Demasiado difícil ver…
Demasiado difícil pensar.
Me quedé dormido.

No es un sueño, no es un sueño… es algo real… algo que está sucediendo dentro de mí. En mi cabeza. Es cosquilleante y va acelerando… liberándose en un silencio eléctrico… saliendo a la velocidad de
la luz hacia la invisibilidad infinita de absolutamente todo… todo…
todo. Lo veo todo, lo escucho todo, lo sé todo: imágenes y palabras y
voces y números y dígitos y símbolos y ceros y unos y ceros y unos
y letras y fechas y lugares y tiempos y sonidos y rostros y música y libros y películas y mundos y guerras y terribles terribles cosas y todo
todo todo al mismo tiempo…
Lo sé.
Lo sé todo.
Sé donde está.
Estoy conectado.
Cables, ondas, redes, multirredes… miles de millones de millones
de millones de filamentos tarareando, cantando dentro de mi cabeza.
Lo sé todo.
No sé cómo lo sé, no sé en dónde está, no sé cómo funciona. Sólo
está ahí, dentro de mí, haciendo lo que hace… mostrándome las respuestas a preguntas que ni siquiera me doy cuenta de que he formu-
lado. Tu ("tu cerebro está conformado por 100 mil millones de células
nerviosas… cada célula está conectada a cerca de otras 10,000… la
cifra total de conexiones es de cerca de 1,000 billones, haciéndome
escuchar voces que no entiendo —Ajá, ajá, ya sé… pero Harvey no
vio nada— y sabe lo que estoy pensando. Esta presencia dentro de mi
cabeza… sabe cuáles son mis preocupaciones, mis pensamientos, mis
sentimientos, y los absorbe y se los lleva a un sitio que me muestra
mis temores, lo que sé de manera inconsciente pero que no quiero en-

24

frentar. Me muestra la primera página de la *Gaceta de Southwark*, con fecha del 6 de marzo, hace dieciséis días:

"ADOLESCENTE ENFRENTA CALVARIO POR VIOLACIÓN
Una joven de quince años fue violada
por una pandilla en el conjunto habitacional Crow Lane.
La adolescente fue atacada en su
departamento la tarde del viernes,
entre las 3:45 p.m. y las 4:30 p.m.
El hermano de dieciséis años de la joven
resultó gravemente herido durante el ataque,
y otro muchacho, de dieciséis años también,
sufrió una severa lesión en la cabeza
al ser golpeado por un objeto que fue
lanzado desde uno de los pisos superiores.
Los detectives creen que por lo menos
seis jóvenes tomaron parte en el ataque,
y han solicitado que cualquier persona
que tenga información respecto al 'atroz ataque'
se presente. Asimismo, describieron a
los sospechosos como jóvenes de la zona,
tal vez vinculados a pandillas,
y con edades de entre 13 y 19 años."

Desperté de repente cubierto de sudor, el corazón me latía con fuerza y tenía un grito en la garganta ahogado por el sueño.

—¡Lucy!

El grito salió como un susurro petrificado.

—Está bien, Tommy —escuché a alguien decir—. Está bien…

Me tomó un momento reconocer la voz, pero luego volví a escucharla.

—Fue sólo un sueño, Tommy… ya estás bien —y entonces supe que era Abue. Estaba sentada en la cama junto a mí, tomando mi mano.

Me quedé mirándola, tenía problemas para respirar.

—Lucy… —susurré— ¿Está bien?, ¿está…?

—Está bien —dijo Abue, y enjugó mi frente con un pañuelo—. Está bien… bueno, no, no está bien, pero está a salvo. Está en casa con su madre. —Abue miró sobre su hombro para indicarme algo, y noté que no estaba sola. Detrás de ella estaban sentados dos hombres de traje.

—¿Quiénes son? —le pregunté.

Volteó hacia mí.

—Policías… están investigando el ataque que sufrieron Lucy y Ben. Les dije que tú no sabías nada al respecto.

—Tal vez le podemos preguntar eso a Tom nosotros mismos —dijo uno de los policías al mismo tiempo que se ponía de pie. Era alto y rubio, tenía mal cutis y los dientes manchados por el tabaco.

—Hola, Tom —me dijo sonriendo—. Soy el Sargento Detective Johnson, y éste… —señaló al otro hombre—, éste es mi colega, el agente Webster.

Webster me saludó con una inclinación.

De pronto, la herida me dio comezón, lo cual me hizo recordar el sueño que no era sueño, las ondas raras en mi cabeza, el silencio eléctrico… una invisibilidad infinita de todo… de las palabras habladas, de las palabras de los diarios: "Una joven de quince años fue violada por una pandilla en el conjunto habitacional Crow Lane…"

—¿Quién lo hizo? —le pregunté al Sargento Johnson.

—¿Quién hizo qué, Tom?

—Atacaron a Lucy… Lucy Walker. Es una amiga…

—¿Cómo sabes que la atacaron?

—¿Qué?

—¿Viste algo?

—No… no, no vi nada, me noquearon… estaba tirado en el suelo con la cabeza abierta en dos. No vi nada.

—¿Entonces cómo sabes lo que sucedió?

—*No sé* qué sucedió.

—Lo siento, Tom —dijo Johnson—, pero es que me acabas de preguntar quién lo hizo. Acabas de decir que atacaron a Lucy… y todo eso parece sugerir que *sí* sabes lo que sucedió.

Mi mente era un caos. Estaba confundido y no sabía qué decir, pero a pesar de eso sólo titubeé por un segundo.

—Vi el reporte en un periódico local —le dije—. En la *Gaceta de Southwark.*

—Bien… —dijo Johnson vacilante—. ¿Y cuándo fue eso?

—Hoy… hace rato. Estaba en los baños al final del corredor. Alguien había dejado una copia en el cubículo.

Johnson asintió y miró a Webster. Webster se encogió de hombros y Johnson me miró de nuevo.

—Entonces me estás diciendo que no tienes información de primera mano respecto al ataque, que sólo sabes lo que sucedió porque lo leíste en el periódico. ¿Es correcto?

—Ajá…

Y me di cuenta de que *sí* era correcto. *Era* la verdad. Tal vez no era la verdad *completa*, pero tampoco le iba a decir eso, ¿verdad? No le iba a decir que el reporte del periódico apareció en mi cabeza así nada más, salido de la nada.

Abue se dirigió a Johnson.

—Creo que es suficiente por el momento, ¿no cree? Tommy está cansado, todavía está muy débil.

—Sí, señora Harvey, comprendo, pero…

—Es, señorita —dijo Abue con frialdad.

—¿Disculpe?

—Es *señorita* Harvey, no señora ni *seño.*

—Comprendo… —rezongó Johnson—. De cualquier forma, si a Tom no le molesta…

—Ya les dijo todo lo que sabe.

—Bueno…

—No —dijo Abue con firmeza—, se acabó, si necesitan volver a hablar con él, tendrán que esperar.

—Pero…

—¿Quiere que empiece a gritar?

Johnson le frunció el ceño.

—¿Qué?

—Si dice una palabra más —le dijo Abue con calma—, voy a empezar a gritar y a llorar, y cuando todas las enfermeras y los doctores vengan corriendo, van a encontrar a una pobre abuelita llorando como loca porque dos policías nefastos están virtualmente torturando a su nieto que está muy grave —le sonrió al Sargento Johnson—. ¿Ya me entendió?

Johnson asintió. Ya había entendido.

—Qué bueno —dijo Abue—. Ahora, si no le importa, me gustaría que los dos se fueran al diablo.

100

Éstas [violaciones perpetradas por pandillas] suceden todo el tiempo, hombre. Te enteras de ellas en la escuela... Es muy común. Ya sabes que si llegas a delatarlos, lo pueden volver a hacer. Porque si ellos quieren que te estés quieto, entonces eso es lo único que puedes hacer, morderte la lengua y seguir adelante. Es triste, pero es la realidad. La triste realidad.

http://www.guardian.co.uk/world/2004/jun/05/gender.ukcrime

Los siguientes siete días fueron una desconcertante mezcla de locura avasalladora y aburrimiento soporífero. Me dejaron en la habitación privada por un par de días más para que los doctores pudieran observar mi progreso con detenimiento. Cuando quedaron convencidos de que estaba bien, me trasladaron a una cama en el pabellón general. A pesar de que Abue ya no estaba conmigo todo el tiempo, todavía me visitaba a diario, y siempre se quedaba un par de horas por lo menos. Yo le seguía preguntando por Lucy pero se negaba a decirme cualquier otra cosa. Insistía en que me concentrara en mejorar y descansar lo más posible.

—Lucy ya está recibiendo buenos cuidados —era lo único que me decía—. Y preocuparse por lo que le sucedió no le va a ayudar a ninguno de los dos. En cuanto te instalemos en casa de nuevo... bueno, entonces ya hablaremos del asunto. ¿Está bien?

No, claro que no estaba bien. Quería enterarme de todo *en ese instante*. Pero cuando Abue decide algo, no tiene caso discutir con ella. Así que sólo hice lo que me había dicho. Descansé, dormí, comí, leí un montón de revistas estúpidas y traté de no pensar en nada.

Lucy.

Yo.

La locura en mi cabeza…

Descargas eléctricas.

Abejas, no-abejas.

Definiciones.

Periódicos.

Miles de millones de filamentos tarareando…

En verdad me esforcé para no pensar en nada, pero fue casi imposible porque, cada vez que algo me venía a la mente, empezaban a suceder cosas raras. Seguía viendo algo en mi mente, cosas que titilaban un poco y que no entendía, como las más vagas post-imágenes de insectos transparentes. También podía escuchar cosas como voces incorpóreas y trozos de conversaciones. Por otra parte, a pesar de que todo estaba demasiado borroso y fragmentado para lograr verlo o escucharlo con claridad, sentí que estaba relacionado con lo que quiera que fuera que me estaba pasando por la cabeza. Era como esa experiencia de ensoñación que te da cuando te quedas dormido con la televisión prendida y lo que están pasando en ella se mezcla en tu adormilado cerebro con lo que quiera que sea que estás medio soñando, y sabes que no viene realmente de tu cabeza, pero parecería que sí.

Así se sentía.

Estaba medio pensando en Lucy y luego comenzaba a ver fragmentos de noticias del periódico sobre su ataque. Escuchaba voces entrecortadas que hablaban sobre los reportes y a veces las voces se reían. Veía fragmentos de mensajes de texto y correos electrónicos que, a primera vista, parecían no tener nada que ver con Lucy, pero muy en el fondo de mi mente, de alguna manera, había algo que me hacía *saber* que *sí* había una conexión.

Pero este fenómeno no solamente se presentaba cuando estaba pensando en Lucy, sino todo el tiempo. En cuanto me ponía a pensar en cualquier cosa, mi cerebro comenzaba a hormiguear y yo sentía que en el interior, algo conectaba, buscaba, encontraba…

Era asombroso.

Increíble.

Desconcertante.

Aterrador.

Además, lo que quiera que fuera, cambiaba todo el tiempo. Se hacía más claro pero, al mismo tiempo, más complejo, como si estuviera evolucionado de alguna manera... y eso también era bastante aterrador.

Pero lo más raro era que, conforme pasaban los días, como que me iba acostumbrando más y más, y para cuando el doctor Kirby decidió que ya estaba bien y me podía ir a casa, era como si toda esa locura siempre hubiera estado ahí en mi cabeza. Todavía era muy atemorizante y yo aún no entendía lo que pasaba a pesar de que, para explicarlo, ya se me habían empezado ocurrir varias teorías, aunque algo endebles, debo confesar—. Pero bueno, al menos el asunto ya no me aterraba como al principio.

Sólo estaba ahí.

Y ahí seguía todavía cuando, una gris y lluviosa mañana de martes, salí caminando del hospital con Abue y nos subimos a un taxi de sitio para hacer el corto recorrido a casa.

Sabía, por supuesto, que debía haberle mencionado los trastornos a alguien porque el doctor Kirby me había dicho lo importante que era avisar de inmediato si comenzaba a sentir algo fuera de lo normal, y bueno, *esto* era algo bastante fuera de lo normal. Pero, vaya, supongo que lo único que quería era irme a casa porque ya me había hartado de los hospitales, de los doctores, las enfermeras... las auscultaciones, los interrogatorios, la gente enferma, en fin. Además, sabía que si le contaba al doctor Kirby acerca de todos los disparates que traía en la cabeza, habría querido que me quedara en el hospital para hacerme más estudios, más revisiones y más preguntas, y yo ya no quería nada de eso. Sólo quería alejarme y volver a casa, a mi ya conocida casa.

Con esto no quiero decir que Crow Town fuera un lugar particularmente *agradable* para vivir; de hecho, cuando el taxi iba traqueteando por las conocidas calles del sur de Londres y de pronto alcancé a ver los ocho edificios de departamentos, comencé a preguntarme *por qué* me sentía tan contento de volver. ¿Qué habría de hacerme sentir así?, ¿los asquerosos edificios?, ¿los apretados departamentitos?, ¿la inminente y tajante sensación de vacuidad y violencia?

¡Ah… hogar, dulce hogar!

Me di cuenta de que también estarían ahí los chicos de las pandillas. Yo estaba bastante seguro de que cualquier cosa que nos hubiera pasado a Lucy, a Ben y a mí tenía que ver con las pandillas locales, y claro, eso significaba que habría repercusiones. Porque los asuntos de pandillas *siempre* tienen repercusiones. Es un cuento de nunca acabar, es algo que siempre está en el aire, manchándolo como la peste de un vasto y omnipresente pedo.

Había estado pensando en el asunto; me preguntaba qué pandilla sería más probable que estuviera involucrada en el ataque a Lucy, si los Cuervos o los FGH. Pero la verdad es que, en realidad, eso no hacía ninguna diferencia porque, finalmente, todos eran chicos de Crow Town. Por lo general, los Cuervos venían de los edificios del área norte, en tanto que los FGH eran de los tres edificios del sur (Fitzroy House, Gladstone y Heath House, de ahí el nombre, FGH), y a pesar de que se suponía que las pandillas tenían que odiarse entre sí, las cosas no siempre funcionaban de esa manera. A veces trataban de matarse entre ellas, otras no. A veces hasta unían fuerzas y trataban de matar a chicos de otras pandillas…

A veces esto, a veces aquello.

No había gran diferencia.

A Lucy la habían violado y quien quiera que lo hubiera hecho, lo hizo y punto. Todo lo demás era irrelevante.

Dejé de pensar en el asunto y miré a Abue. Estaba sentada junto a mí, tecleando en la *laptop* que tenía sobre el regazo.

—¿Cómo vas? —le pregunté mirando a la pantalla y ella se encogió de hombros.

—Igual que siempre.

Abue escribe novelas románticas, historias de amor; cosas como esas de Mills & Boon. Libros con títulos como *El caballero y la dama,* o *Ángeles de azul.* Las odia. Odia lo que representan. Odia escribirlas. A ella le gustaría mucho más dedicarse a la poesía, pero la poesía no paga la renta y las historias de amor, sí… bueno, casi.

—¿Es una nueva? —le pregunté con los ojos en la pantalla otra vez.

—Se supone —sonrió.

—¿De qué se trata?

—No quieres ni saber.

—No, sí quiero.

—Bueno… —dijo y oprimió la tecla de GUARDAR—. Es acerca de una mujer que se enamora de dos hermanos. Los hermanos son gemelos, así que son idénticos, sin embargo, sus personalidades son completamente distintas. Uno de ellos es soldado, un tipo de acción. El otro es músico; es el sensible… ya sabes, le escribe a ella canciones de amor y hermosos poemas, ese tipo de cosas.

—¿Y el otro les patea el trasero a los tipos malos?

Abue sonrió.

—Ajá; cosa que ella, por supuesto, encuentra irresistible.

—¿Con cuál se queda?

—Todavía no sé.

—Te apuesto que con el pelele.

—¿Tú crees?

Asentí con la cabeza.

—Ella *creerá* que está enamorada del tipo rudo, pero tarde o temprano se va a dar cuenta de que su único y verdadero amor es el pelele. Siempre pasa así en los libros, ¿no?

Abue sonrió.

—¿Y en la vida real no?

—No —le contesté—, en la vida real la chica siempre termina con el tipo rudo y el pelele se queda en casa a escribir poemas para nenitas, sobre lo triste que se siente.

Los ocho edificios de departamentos de Crow Town se extienden sobre una línea desigual a lo largo de la calle Crow Lane, como a una distancia de un kilómetro y medio. En el lado norte hay cinco edificios (Addington, Baldwin, Compton, Disraeli y Eden), y al sur, tres (Fitzroy, Gladstone y Heath). En medio, como a dos tercios del camino que corre sobre Crow Lane, hay una mini glorieta, algunos edificios de poca altura y una zona de juegos para niños. La mayor parte del lado oeste la ocupa una zona industrial (bodegas, talleres automovilísticos, vías de tren y túneles) y la Avenida Principal está como a cien metros al este.

El taxista se detuvo a un lado del camino, cerca del final de la Avenida Principal.

—Ah, bien… —dijo, al mismo tiempo que se peleaba con el taxímetro—. Son £9.50, gracias.

—Lo siento —dijo Abue, porque pensó que el chofer nos había entendido mal—. Queremos ir a Crow Town, por favor, a Compton House.

—Hasta aquí llego yo.

—¿Qué?

—Que hasta aquí llego; son £9.50.

—No, no entiende…

—No voy a entrar a Crow Town, ¿entendió?

—Ay, por favor, no sea *ridículo* —suspiró Abue—. Pero si no es *peligroso*, por Dios.

—Bueno, pues, como diga. Se puede bajar aquí o la llevo de vuelta al hospital, usted decide.

—Pero está lloviendo —suplicó Abue—, y mi nieto acaba de salir del hospital…

El taxista se encogió de hombros.

—Lo siento, linda.

Abue volvió a suspirar pero sabía que no tenía ningún caso discutir. Le pagó al taxista, cerró su *laptop* y la puso en su bolsa. Nos bajamos y comenzamos a caminar.

No nos tomó mucho tiempo llegar, pero como yo casi no había caminado en las semanas anteriores (de hecho, no había hecho casi *nada* en las semanas anteriores), para cuando llegamos a Compton House había empezado a sentirme muy agotado.

—¿Quieres detenerte un minuto? —me preguntó Abue cuando cruzamos la plaza hacia la entrada—. Te ves un poco pálido.

—No, gracias, estoy bien —le dije—. Además ya casi llegamos.

Cuando nos acercamos a la entrada, las puertas de vidrio se abrieron y salieron varios chicos que venían como paseando. Eran unos seis, todos vestidos con los típicos pants y sudaderas negras con capucha. Uno de ellos traía un perro *bull terrier* café de Staffordshire en una cadena gruesa. Reconocí a la mayoría: Eugene O'Neil, DeWayne Firman, Yusef Hashim y Carl Patrick. Todos eran pandilleros, de los Cuervos. En ese momento vi que comenzaban a codearse y a señalarme. Sonreían y algunos se estaban riendo.

—Hey, Harvey —gritó O'Neil—, ¿cómo está tu cabeza?

Los otros se rieron.

—Yo, mira esa cicatriz, hombre —dijo alguien.

—Sí, mierda, es el maldito Harry Potter…

—Sólo ignóralos —me dijo Abue con calma—. Vamos.

Seguimos caminando hacia la entrada y los seis chicos se hicieron a un lado para dejarnos pasar, pero siguieron haciendo comentarios.

—Qué chido tu corte, eh.

—Préstanos tu teléfono.

—Sí, me dijeron que tienes un iPhone.

—Ja, no, ya lo rompió.

—Es más bien un maldito iCabezón…

—¡Sesos…

Ya estábamos atravesando las puertas cuando sentí que algo me quemaba en la nuca. Volteé y vi en el suelo una colilla de cigarro encendida. Volví a mirarlos; era imposible saber quién me la había arrojado, pero no importaba. Porque, o sea, de todas formas no iba a hacer *nada* al respecto, ¿verdad? Los miré a todos por un momento y luego me di la vuelta para seguir caminando al edificio. Justo cuando las puertas de vidrio se cerraban detrás de mí, escuché un par de gritos de despedida.

—Nos vemos, Cabezota.

—Ahí te ves, *iBoy*.

No pude evitar sonreír para mí mismo cuando iba caminando con Abue hacia el ascensor.

—¿Qué? —me preguntó Abue—, ¿qué es tan gracioso?

—Nada —la mire sonriendo—. Es sólo que, bueno, eso de *iBoy*… o sea, la verdad es que es bastante ingenioso, ¿no crees?

Abue se encogió de hombros.

—Bueno, es mejor que Cabezota.

Todos los edificios de Crow Town tienen treinta pisos y en cada piso hay seis departamentos. O sea, hay 180 departamentos en cada bloque; 1,440 departamentos en total. Los pisos son más o menos iguales en todos los edificios. Hay un corredor central en cada uno, con una hilera de departamentos a cada lado, y en un extremo del corredor hay un ascensor y en el otro están las escaleras.

Por lo general, el ascensor de Compton siempre está okey.

Bueno, no tan okey porque apesta, está asqueroso y se mueve muuuy lentamente. Pero al menos, casi siempre funciona. Y funciona porque toda la gente que esperarías que viniera a vandalizarlo, de hecho vive aquí y no quiere bajar y subir por las escaleras todos los días. Ésa es la razón por la que realmente nadie se mete con el ascensor. Así que por lo general funciona y, gracias a eso, las escaleras se mantienen despejadas para otras actividades como ingerir drogas, tener sexo o golpear gente… las actividades que por lo común se llevan a cabo en escaleras.

Para cuando llegamos estaba tan cansado, que si el ascensor no hubiera estado funcionando, me habría tenido que echar al suelo y esperar a que lo repararan. Pero como, por fortuna, sí funcionaba, unos minutos después de entrar al edificio, Abue y yo ya estábamos saliendo al piso veintitrés y caminando por el corredor hacia el departamento cuatro.

En casa al fin.

Fue muy agradable estar de regreso; durante un buen rato sólo di vueltas con toda calma por el departamento. El pasillo, la sala de estar, mi cuarto, el de Abue. En realidad no estaba haciendo nada ni mirando algo en particular. Sólo estaba gozando de estar ahí, de estar de vuelta junto a los objetos que me eran familiares.

Se sentía bien.

Después de eso dormí un rato. Cuando desperté me di un largo baño caliente. Luego Abue me ofreció un *enorme* plato de pan con queso, y luego, por fin, se decidió a contarme sobre Lucy y Ben.

—La verdad es que desconozco los detalles —me explicó—. Sólo te puedo contar lo que he estado escuchando en el conjunto, pero ya sabes cómo son las cosas por aquí. Rumores, chismes; alguien escucha esto, otro escucha algo más… —se me quedó viendo—. Debo decirte que en realidad todavía no he platicado con Michelle del asunto. —Michelle era la señora Walker, la mamá de Lucy—. Pensé que era mejor dejar las cosas tranquilas por un tiempo —continuó diciendo Abue—. Ya sabes, dejar que Michelle me contara cuando estuviera lista, claro, eso *si algún día* llega a estarlo; no sé… —Abue suspiró—. Bueno, de cualquier forma, lo que cuentan es que Ben traía problemas con algunos de los chicos de las pandillas, la mayoría de la gente dice que los problemas eran con uno de los Cuervos. Ese viernes, algunos de ellos esperaron a que Ben regresara de la escuela. Tocaron a su puerta, se aseguraron de que su madre no estuviera y luego comenzaron a golpearlo. Lucy, bueno, pues parece que Lucy estaba en su cuarto. Escuchó el escándalo y salió a ver qué pasaba.

Abue hizo una pausa y me miró con vacilación.

—Continúa —le dije con calma.

Ella volvió a suspirar.

—No hay manera de suavizar las cosas, Tommy. La violaron. Golpearon a Ben, le rompieron algunas costillas, le hicieron unas cuantas cortadas en la cara… y luego se fueron contra Lucy.

—Dios santo —susurré—, ¿cuántos eran?

—Seis o siete, tal vez más.

—¿Y todos ellos…? ya sabes, ¿con Lucy?

—No lo sé.

—Mierda —murmuré al mismo tiempo que negaba incrédulo con la cabeza. Comencé a llorar porque tan sólo imaginarlo era algo de verdad espantoso. Tan enfermo, tan repugnante, tan absolutamente increíble… Sin embargo, el mayor problema era que *no* era increíble. Era el tipo de cosa que sí llegaba a suceder. Ya había pasado sólo unos cuantos meses antes. Una pandilla había atacado y violado en grupo a una chica en un estacionamiento cerrado, atrás de Eden House.

Sí sucedía.

—¿Y la policía sabe quién lo hizo? —le pregunté a Abue.

Negó con la cabeza.

—Nadie dice nada, como de costumbre. Hay un montón de rumores, siguen surgiendo los mismos nombres de siempre, y supongo que la mayoría de los chicos de las pandillas sabe quién lo hizo, pero nadie va a decir nada, y mucho menos a la policía.

—¿Y qué hay de Ben? Él debe saber quiénes fueron.

—Según él, traían pasamontañas y no pudo ver sus caras.

—¿Y Lucy?

—No sé, Tommy, como ya te dije, no he visto a Michelle, así que no sé si Lucy puede identificar a sus atacantes o no —Abue me miró—. Aunque no han arrestado a nadie todavía. Vaya, ya sabes cómo son estas cosas.

—Ajá.

Sí, sabía muy bien cómo eran esas cosas porque *la* regla número uno de Crow Town era: *Nunca* hables con la policía, *nunca* admitas nada, *nunca* rajes. Porque si lo haces y nos enteramos, más te valdría estar muerto.

Abue dijo:

—La policía tampoco ha podido sacar información del iPhone que te golpeó la cabeza. Para cuando los oficiales se dieron cuenta de que podía servir como evidencia, la gente ya había pisoteado la mayor parte y lo que *todavía* quedaba estaba demasiado golpeado para sustraer información. Al parecer, creen que uno de los atacantes lo lanzó por la ventana y que tú, pues estuviste en el lugar incorrecto a la hora incorrecta.

—No —le dije—, quien quiera que lo haya lanzado, lo hizo a propósito. Gritaron mi nombre, sabían que yo estaba ahí. No creo que hayan pensado que en verdad me podrían alcanzar a golpear con él, pero estoy casi seguro de que sí me lo arrojaron *a mí.*

—Tienes que contarle a la policía, Tommy. Tienes que decirles que no fue un accidente.

Encogí los hombros.

—¿Para qué?, con eso no van a averiguar quién fue ¿verdad?

—Bueno, eso nunca se sabe.

Nos miramos con la certeza de que yo estaba en lo correcto. No había ni una mugrosa posibilidad de culpar a alguien de haberme quebrado el cráneo. Y si acaso llegaba a existir esa posibilidad, e incluso *si* llegaban a arrestar y declarar a alguien culpable, ¿de qué serviría? No cambiaría nada, ¿verdad? Yo seguiría con trocitos de iPhone incrustados en el cerebro. Ben seguiría madreado, y Lucy…

Nada podría hacer que Lucy se sintiera mejor.

Después de que Abue me preguntara como veinte veces si no me importaba que se fuera a su cuarto para seguir trabajando en su nuevo libro; después de que yo le asegurara que no había problema, que me sentía bien y que no tenía por qué preocuparse por mí todo el tiempo, después de todo eso, por fin pude ir a relajar. Me fui a enfrentar el hecho de que, efectivamente, sí sabía lo que estaba sucediendo dentro de mi cabeza; a comprender que, a pesar de que era algo que *debía ser* imposible, en realidad no lo era.

La evolución del cerebro no sólo excedió las necesidades del hombre prehistórico en el pasado, en la actualidad también representa el único ejemplo de evolución que le ha provisto a la especie de un órgano que no sabe cómo usar.

ARTHUR KOESTLER

Imagina que estás tratando de recordar algo, lo que sea, la última vez que lloraste, el número telefónico de alguien, los nombres de los siete enanos, no importa qué. Sólo busca en tu memoria, trata de recordar algo, y luego, cuando ya lo hayas hecho, trata de imaginar *cómo* lo hiciste. ¿Cómo encontraste lo que estabas buscando?, ¿con qué lo buscaste?, ¿exactamente en qué partes de tu cerebro lo hiciste?, ¿cómo supiste por dónde empezar y cómo reconociste lo que estabas buscando?

Si alguien me hiciera esas preguntas, no podría responderlas, sólo podría decir, "Bueno, sólo lo hice, porque lo que está dentro de mi cabeza, de mi cerebro, sólo hace lo que tiene que hacer. Primero me dije que tenía que recordar algo, y luego, lo que está en mi cerebro hizo el resto."

Porque es mi cabeza, es mi cerebro y me convierte en lo que soy, pero no tengo ni idea de cómo funciona.

Aquel día, estando recostado en mi cama y escuchando el distante rumor de sonidos mudos, eso era lo único en lo que podía pensar. Pensaba en el hecho de que *mi* cabeza y *mi* cerebro me convertían en lo que era, pero que, sin embargo, en ese momento había algo más ahí, algo que, de alguna manera, se había convertido en parte de mí. Y entonces, de pronto se trataba de *eso*, y de que *eso* cumplía su labor:

conectar y encontrar una infinidad de cosas a pesar de que yo no tenía ni idea de cómo lo hacía.

Pero lo hacía y funcionaba.

Estaba funcionando en ese preciso momento.

Me mostraba fragmentos de páginas web, páginas aleatorias de sitios aleatorios; palabras, sonidos, imágenes, información. Revisaba una inmensidad de correos electrónicos, mensajes de texto y un mundo lleno de llamadas telefónicas. Se estaba conectando, calculaba, fotografiaba, videogrababa, descargaba, realizaba búsquedas, almacenaba, localizaba. Hacía todo lo que un iPhone podía hacer. Eso era, tenía que ser el iPhone. Los fragmentos de iPhone que se habían incrustado en mi cerebro de alguna forma debieron haberse fusionado con partes de él, con partes de mi mente, partes de *mí*. Y en el proceso de fusión, los poderes y capacidades del iPhone seguramente mutaron y evolucionaron porque, además de hacer todo lo que un iPhone hace, también era capaz de muchas cosas más. Podía escuchar llamadas telefónicas, leer correos electrónicos y mensajes de texto, podía meterme a bases de datos prohibidas. Tenía acceso a todo.

Desde el interior de mi cabeza.

Estaba conectado.

Ahora lo sabía. Lo sabía, los sabía, lo *sabía*. Pero todavía no sabía nada al respecto. No sabía *cómo* estaba sucediendo. No tenía control sobre ello. Era algo que sólo pasaba, y, cómo ya lo dije antes, *debía ser imposible*.

Pero no lo era.

Sucedía.

También sucedían otras cosas. Cuando estaba ahí acostado tratando de digerir la imposible verdad, sentí un fulgor de calor en mi cabeza, un cálido cosquilleo alrededor de la cicatriz. Fue algo de verdad muy loco, como un resplandor. No me gustó nada.

Me levanté de la cama y me dirigí al espejo de la pared.

Al principio no podía creer lo que estaba viendo. Tenía que ser otra cosa, un efecto de la luz o algún reflejo distorsionado. Pero luego me incliné para ver de cerca, y observé con mucho cuidado mi cara en el espejo. Entonces supe que *sí* era real. La piel alrededor de la herida, resplandecía, casi vibraba, como si estuviera viva. Se veía radiante, brillaba con una infinidad de colores, formas, palabras y símbolos. Iban cambiando constantemente, se iban mezclando entre sí, flotaban y se amontonaban, se hundían, emergían; pulsaban como un diminuto banco de peces multicolores.

Levanté la mano y acerqué mi dedo a la resplandeciente herida. Luego me detuve y recordé que la última vez que la toqué me había dado una descarga. Respiré hondo y exhalé poco a poco. Luego, de alguna manera, sin siquiera saber cómo lo hice, cerré algo en mi cabeza y el resplandor desapareció.

—Okey —me escuché susurrar—, todo está bien, confía en ti mismo.

Volví a acercar el dedo a la herida con mucho cuidado. Vacilé por un momento y luego la toqué.

No sucedió nada.

No hubo toque eléctrico.

Sólo un tenue cosquilleo.

Recorrí suavemente la herida con el dedo. Sentí la piel inflamada; había crecido nuevo tejido y, debajo de todo, o tal vez dentro de todo, se podía detectar una sensación de poder. No era algo físico, era más bien como una sensación de *potencial*; el tipo de sensación que da cuando tocas la superficie de una *laptop*, de un iPod o de algo así. ¿Ya sabes a qué me refiero? No es algo que realmente puedas *sentir*, sino algo que te dice que bajo las puntas de tus dedos hay poder, el poder de hacer cosas maravillosas.

Así se sentía.

Quité el dedo.

Me miré.

Agité la cabeza.

Imposible.

Cerré los ojos por un momento, los abrí de nuevo y, *click*, tomé una fotografía de mi reflejo en el espejo. La vi, me la envié por correo, la geocodifiqué, la guardé y luego la borré.

Imposible.

Todo es teóricamente imposible hasta que se lleva a cabo.

Robert A. Heinlein, *The Rolling Stones* (1952)
http://www.quotationspage.com/search.php3?homesearch=impossible

Adiós normalidad, me dio gusto conocerte.

Me han usado/han abusado de mí/me han golpeado/me han quebrado.

PENNYWISE
"BROKEN"

Eran como las siete y media de la tarde cuando toqué la puerta de Abue y entré a verla. Las cortinas todavía estaban abiertas y a través de su ventana pude ver el brillo rojo-anaranjadón de un atardecer distante que se desvanecía sobre el horizonte. Abue estaba sentada escribiendo en su escritorio, rodeada de papeles, libros, ceniceros y tazas de café vacías.

—¿Cómo te sientes? —me preguntó.

—Muy bien, gracias.

—¿Pudiste dormir?

—Ajá, un poquito.

—¿Tienes hambre?

—No, no, estoy bien. Gracias.

Me sonrió.

—¿En qué piensas?

—Bueno, pues estaba pensando en ir a ver a Lucy, ya sabes. Sólo para decirle hola y ver cómo le va. ¿Qué opinas?, ¿crees que sería correcto?

—No lo sé —dijo Abue titubeante—. Supongo que si Michelle lo considera adecuado, y si Lucy siente que puede recibirte, entonces está bien. Porque tal vez no pueda, ¿sabes? Es decir, creo que no ha salido del departamento desde lo que sucedió. —Abue me miró—. Tal vez no quiera ver a nadie, en especial a ningún chico.

—Ajá, sí, ya sé. Pero pensé que le puedo pedir a la señora Walker que le pregunte a Lucy si quiere verme y, luego, si dice que no, pues me voy. No pienso presionarla o algo así.

—¿Y qué tal si primero le marcas? —sugirió Abue.

Me negué con la cabeza.

—Sí, ya había pensado en eso pero siento que no es lo correcto. Preferiría sólo subir.

—Bueno, pues está bien. Pero ten cuidado, Tommy.

—Sip.

Se acercó para acariciar mi mejilla y tuve que concentrarme mucho para no darle toques. No estoy seguro de cómo lo hice pero al parecer funcionó. No gritó ni retiró la mano de golpe o algo así.

—¿Estás seguro de que estás bien? —me preguntó.

—Ajá.

—¿Seguro?

—Estoy bien, Abue.

—Bien, ya te dije, ten cuidado. ¿Está bien?

—Ajá —le dije mientras me ponía la chamarra—. Te veo al rato; no me tardo.

—¿Llevas tu teléfono?

—Ah, ajá, síp. Lo llevo.

Había dos chicos en el ascensor cuando me subí. Uno de ellos era un chavo negro de Baldwin House cuyo nombre no conocía. El otro era un tipo que se llamaba Davey Carr. Davey vivía en el piso veintisiete y había sido mi mejor amigo en la secundaria. En aquel entonces siempre andábamos juntos, en la escuela, en los jardines, cerca de las vías del tren y en los lotes baldíos. Antes Davey era buena onda, pero hace un par de años comenzó a juntarse con algunos de los Cuervos, con varios de los más grandes. A pesar de que insistía mucho en que me les uniera, yo realmente no le encontraba el chiste al asunto, y fue por eso que comenzamos a distanciarnos después de algún tiempo.

—Hey, Tom —me dijo cuando subí al ascensor—. ¿Todo bien?

—Ajá, sí. ¿Tú qué tal? —le pregunté mientras apretaba el botón del piso treinta.

Me hizo un gesto con la cabeza y sonrió. Pero se veía un poco nervioso.

Las puertas del ascensor se cerraron.

Davey me sonrió.

—¿A dónde vas, Tom?, ¿algún lugar emocionante?

—Voy a ver a Lucy.

La sonrisa se le borró de la cara.

—¿Ah sí?

—Sí. ¿Tienes alguna idea de quién lo hizo?

—¿Quién hizo qué?

—La violaron, Davey, y a Ben le dieron una paliza. Sólo me preguntaba si sabías algo al respecto.

Negó con la cabeza.

—¿Por qué tendría que saber algo?

Sólo me le quedé viendo.

—No —dijo, negando de nuevo con la cabeza—. No sé nada, en serio. Ni siquiera…

—Hey —le dijo el chico negro—, no tienes que decirle nada. Dile que se joda.

Lo miré.

El ascensor se detuvo.

Piso 27.

El chico negro me sonrió.

—Oye, ¿qué demonios ves?

Las puertas se abrieron.

Me conecté con el celular que el chico traía en el bolsillo trasero del pantalón, y en un instante, un instante casi inexistente, ya había descargado y escaneado todo lo que había en él. Nombres, números telefónicos, textos, fotos, videos. Todo.

—Tú eres Jayden Carroll, ¿verdad? —le dije cuando iba saliendo del ascensor con Davey.

—¿Y? —dijo.

—¿Ya le contestaste a Leona el mensaje que te envió anoche? —le pregunté en un tono muy casual mientras oprimía el botón para cerrar las puertas—. Ya sabes, ése en el que te pregunta si la amas —le sonreí—. No creo que sea buena idea dejarla esperando mucho tiempo por la respuesta.

—¿Qué diablos…? —comenzó a preguntar cuando las puertas del ascensor se le cerraron en la cara y yo seguí subiendo hasta el piso treinta.

Sabía que había sido una estupidez hacer eso, provocarlo de esa manera. Sabía que era inútil y hasta un poco patético. Pero no me importaba, me hizo sentir bien y, en ese momento, eso era lo único que me importaba.

El departamento de Lucy estaba justo al final del corredor. Cuando iba caminando hacia allá, me di cuenta de lo alterado que estaba. Siempre me sentía un poco nervioso cuando iba a ver a Lucy, pero en esta ocasión había algo distinto. Era una mezcla de nerviosismo con ansiedad, miedo a lo desconocido. ¿Qué le iba a decir?, ¿qué podría decirle?, ¿cómo se comportaría?, ¿estaría interesada en verme siquiera?, ¿por qué habría de estarlo?, ¿qué tenía yo de especial?, ¿qué tenía para ofrecerle?

Me detuve frente a la puerta de su departamento.

La palabra PERRA estaba pintada con aerosol rojo brillante a todo lo ancho. Me quedé parado ahí un momento sin hacer nada más que ver el inquietante garabato, y por un momento me sentí más enojado que nunca. Quería golpear a alguien, quería *lastimar* a alguien en verdad. Quería descubrir quién lo había hecho y luego aventarlo desde lo alto del edificio.

Me dolía la cabeza.

La herida me palpitaba.

Cerré los ojos, respiré lentamente, traté de serenarme.

—Mierda —susurré para mí—. Los malditos…

Esperé hasta que mi cabeza dejó de palpitar. Luego volví a respirar para calmarme y toqué el timbre.

La mamá de Lucy tenía antecedentes de alcoholismo y problemas con drogas. En general era algo que ya había quedado en el pasado de no ser por los ocasionales tropezones que de repente tenía, sin embargo, cuando abrió la puerta y me miró estuve seguro de que había retomado sus viejos hábitos. Se veía terrible. Tenía la piel seca y gris, los ojos inyectados y ligeramente perdidos. Parecía que no se había lavado ni peinado el cabello como en una semana.

—Hola, señora Walker —le dije—. Soy yo, Tom.

Entrecerró los ojos para verme mejor.

—Tom Harvey —le expliqué—. El amigo de Lucy…

—Ah sí, ya. Claro, Tom, disculpa. Me acabo de despertar, es que estaba, ah… —se talló los ojos—. ¿Cómo estás, Tom? —de repente notó la herida en mi cabeza—. Oh, Dios, sí, claro, tu cabeza. Estabas en el hospital. Lo siento, se me había olvidado.

—Está bien —le dije—. No se preocupe.

—¿No?, bueno, quiero decir, yo sólo… —parpadeó con mucha pesadez—. Entonces, ¿cuándo volviste a casa, Tom?

—Hoy. Esta mañana.

—Ah, sí, bueno.

—Me preguntaba si…

—¿Quieres ver a Lucy?

—Bueno, sólo si…

—Pasa, pasa. Voy a ver si ya se despertó. Estaba durmiendo; se cansa mucho.

Cerré la puerta; no me sentía muy cómodo siguiendo a la señora Walker por el pasillo. No me sentía nada cómodo. Mi cabeza estaba llena de preguntas: ¿Qué tal si la mamá de Lucy no estaba preparada mentalmente para decidir si debía dejarme entrar o no?, ¿o tal vez debí esperar afuera?, ¿o tal vez no debí haber subido, para empezar? Pero era demasiado tarde para arrepentirse porque la señora Walker ya me estaba conduciendo a la sala de estar.

—Sólo espera un minuto —me dijo—. Voy a ver si ya se despertó.

La vi entrar a su cuarto (y me pregunté por qué habría entrado al *suyo* y no al de Lucy). Luego vi a Ben; estaba sentado en el sofá viendo tele. A pesar de que los moretones en su rostro habían comenzado a desaparecer y las cortadas ya estaban cicatrizando, era bastante obvio que había sido una paliza tremenda. Estaba como encorvado y supuse que era por las costillas rotas; además, tenía la muñeca izquierda envuelta con una venda que se veía bastante larga.

—Hola, Ben —le dije—. ¿Cómo estás?

Se me quedó viendo.

—¿Cómo crees?

Miré alrededor. El departamento era un desastre. Cajas de pizza vacías en el suelo, botellas, latas, platos sucios. Había montañas de ropa en la mesa del comedor, pilas de periódicos sobre el burro de planchar. Las cortinas estaban cerradas y entraba muy poca luz.

Volví a mirar a Ben.

—¿Quieres que hablemos de lo que pasó?

—No.

—Okey, entiendo. Pero si llegas a cambiar de opinión…

—Dije que *no*, ¿ajá?

—Okey.

En ese momento la señora Walker salió de su cuarto. Me sonrió, aunque debo decir que era una sonrisa bastante vaga.

—No te tardes, ¿sí, Tom? Todavía no se acostumbra a ver gente, se cansa mucho.

La miré.

Volvió a sonreír. Con un ligero y tembloroso movimiento de la cabeza me señaló cuál era la puerta. Supuse que con eso me estaba indicando que podía entrar. Volví a mirar a Ben y vi que seguía inmerso en la televisión. Entonces entré al cuarto.

Las cortinas estaban cerradas y la única luz que había la proveía el tenue brillo anaranjado de un calentador eléctrico que estaba en el piso. Había algo en el lugar que me daba la sensación de que le pertenecía a un enfermo. Tal vez era la pesadez del ambiente, la luz te-

49

nue, la falta de energía. No sabía qué era. Sólo se sentía como un lugar sin vida.

Lucy estaba sentada en la cama con las rodillas pegadas al pecho; tenía puesto un suéter holgado, pants y gruesas calcetas de lana. Yo estaba parado ahí en el marco de la puerta, esforzándome por sonreír; entonces, me di cuenta de inmediato que ella ya no era la misma Lucy. Estaba demasiado pálida, tenía la piel reseca y algo en ella parecía haberse encogido. Era como si todo su ser, su cuerpo, su mente y su corazón estuvieran tratando de alejarse del mundo con desesperación. A pesar de lo suave de la luz, alcancé a ver la aflicción en sus ojos, los moretones que estaban desapareciendo de su rostro y, más que nada, pude *ver* que había pasado por el peor hecho imaginable. Que habitaba en ella y que ahora formaba parte de su ser.

La habían violado.

Me sonrió ligeramente.

—Hey, Tom, ¿podrías cerrar la puerta?

La cerré.

—Disculpa el desastre —dijo mirando alrededor. Me señaló una silla que estaba junto a la cama—. Te puedes sentar…

Me acerqué a la silla.

—Lo siento —repitió y se dio cuenta de que en la silla había ropa y unos libros apilados.

—Permíteme…

—Está bien —le dije, y quité la ropa y los libros.

—Disculpa —repitió. Sonrió inquieta—. No sé por qué me la paso disculpándome.

—¿Perdón? —sonreí.

Ella también sonrió, pero fue una sonrisa débil.

Me senté en la silla y la miré. Siempre me había encantado cómo lucía, su desordenado cabello rubio, sus lindos ojos azules, los labios ligeramente torcidos. Siempre me había gustado esa imperfección, siempre me había hecho sonreír. Otra cosa que también siempre me había gustado de estar con Lucy era que podíamos mirarnos sin incomodidad. Podíamos estar juntos, eso era todo. Estar juntos y mirarnos sin que ninguno estuviera consciente de ello. Sin embargo ahora noté que ella no dejaba de arreglar su cabello y de fingir que jugueteaba con el fleco. Entonces supuse que lo que en realidad estaba tratando de hacer era cubrir el espantoso moretón amarillento que le rodeaba el ojo derecho. Quería decirle que *no tenía* que cubrirlo por mí, pero no estaba seguro de que hubiera una manera adecuada de expresar algo así. O sea, si ella *quería* cubrirlo, si eso la hacía sentir mejor, ¿entonces para qué decirle que no lo hiciera?

La verdad es que ni siquiera sabía *qué* decirle.

¿Qué le dices a una chica que fue violada?

¿*Qué* le puedes decir?

—Está bien —dijo Lucy en voz baja—. Es decir, ya sabes.

—Si —susurré.

—¿Cómo está tu cabeza? —me preguntó.

Por instinto levanté la mano y me toqué la herida.

—Ah, está bien; y ya ni siquiera me duele. —La miré, quería preguntarle cómo estaba *ella*, pero no sabía cómo hacerlo. En lugar de eso, me vi algo estúpido y le dije—: Éste es tu cuarto, ¿verdad? Porque, antes era el de tu mamá.

—Ajá —dijo distraída, mirando alrededor—. Bueno, de hecho sigue siendo el cuarto de mi mamá, es sólo que, yo, yo ya no podía dormir en el mío. —Bajó la mirada—. Porqué ahí sucedió, ya sabes, ahí es donde… en mi cuarto.

—Oh, sí.

—No puedo entrar ahí, bueno, todavía no. Me hace sentir, ya sabes —encogió los hombros—; es por eso que me he estado quedando aquí.

—Debe haber sido terrible —dije sin pensar—, o sea, lo que sucedió.

—Ajá —murmuró—. Sí, fue terrible.

—Lo siento —dije de inmediato—. No quise…

—No, no —dijo Lucy—, está bien, en serio. Sucedió, no tiene caso fingir que no, ¿verdad? —Me miró—. Sí *sucedió*, Tom.

—Lo sé y lo siento, siento mucho que haya sucedido, Luce.

51

—Yo también —dijo con tristeza.

—¿Puedes...? O sea, ¿quieres...?

—¿Qué?, ¿hablar de eso?

—Ajá.

—¿Para qué?, ¿qué caso tiene? O sea, hablar del asunto no va a cambiar nada, ¿verdad?

—No, supongo que no.

Me miró con los ojos llenos de lágrimas.

—No puedo, Tom, no puedo hacerlo. Sé que debería pero no puedo.

—¿A qué te refieres?

—No puedo decirle nada, ya sabes, a la policía. No le puedo decir a nadie.

No puedo.

—Sí, lo sé.

No le di la razón sólo porque era lo más sencillo, se la di porque la tenía. Yo estaba seguro de que ella sabía quiénes la habían atacado, pero si se le ocurría llegar a decírselo a la policía, estaba muerta. Además, ya había soportado una pesadilla interminable de abusos, ataques verbales y físicos, y quién sabe qué tanto más.

—Y la cuestión es —susurró Lucy con la voz quebrándosele por las lágrimas—, la cuestión es que, incluso *si lo hiciera*, ya sabes, incluso si le dijera a la policía quién lo hizo, de todas formas los culpables se saldrían con la suya, ¿no es cierto?

—Bueno...

Sacudió la cabeza en negación.

—Vamos, Tom, ya sabes cómo funciona. Porque aunque pudiera identificarlos y darle nombres a la policía; o sea, no importa cuánta *evidencia* tengan, ADN, huellas digitales, lo que sea: no va a pasar nada. —Todavía le temblaba la voz, pero ahora también se escuchaba enojada—. Lo único que tienen que hacer es decir que fue *consentido*, que estuve *de acuerdo*. Ya sabes, porque soy una *perra*, porque es lo que dice en mi puerta, ¿no?

Ahora sí estaba enojada; estuve a punto de levantarme y abrazarla, sólo para consolarla un rato, pero, de nuevo, no sabía si era lo correcto.

—¿Y Ben? —le pregunté.

—¿Ben? —dijo casi escupiendo el nombre—. ¿Qué con él?

—Bueno, sería imposible que dijeran que él estuvo *de acuerdo* en que lo golpearan, ¿no crees?

Lo negó con la cabeza.

—Ben no va a decir nada. Tiene demasiado miedo. Ya le dijo a la policía que no había podido verlos porque todos traían capuchas o pasamontañas.

—¿Y sí?

—¿Sí qué?

—¿Sí traían pasamontañas?

Me miró titubeante

—Algunos sí, pero no los que lo hicieron. —Lucy resolló con intensidad—. *Querían* que supiera que eran ellos y que no les *importaba* que los viera. Porque sabían que no iba a poder hacer nada al respecto.

Comenzó a llorar. Las silentes lágrimas recorrían sus mejillas y lo único que pude hacer fue quedarme ahí sentado y tratar de no llorar. Nunca me había sentido tan inútil, pero es que no sabía qué hacer. ¿Debería tratar de consolarla?, ¿sería eso lo que ella *querría*?, ¿el consuelo sería lo indicado? O tal vez sólo tenía que sentarme y escucharla llorar. ¿Debería *estar* ahí para ella?

Estaba pensando en todo eso y sentí que la herida me palpitaba de nuevo. Supuse que algo estaba pasando en mi cabeza, que alguna parte ciberconectada de mí estaba tratando de hacer lo que creía correcto.

Pero por el momento no quería involucrarme con lo que pasaba en mi cabeza. Fuera lo que fuera, no era lo indicado en ese momento.

—¿Está bien tu cabeza? —me preguntó Lucy otra vez mientras volvía a resollar con fuerza para contener las lágrimas y me miraba desconcertada—. ¿Por qué hace eso?

—¿Hacer qué? —le pregunté sintiéndome avergonzado de repente.

53

—No sé… —Lucy frunció el ceño y me miró perpleja—. Ya se detuvo; fue como una especie de… —con la mano señaló a un lado de su cabeza y movió los dedos, justo en el mismo lugar donde yo tenía la cicatriz—, estaba brillando, ya sabes, como con un resplandor.

Me miró.

—En serio, Tom, fue algo muy loco.

Me encogí de hombros.

—Tal vez fue un efecto de la luz o algo así.

Ella lo negó con la cabeza.

—No lo creo.

—Pues me siento muy bien —le dije mientras me frotaba con distracción la herida, como si con eso pudiera probar que no había ningún problema—. Entonces, eh, —comencé a decir al mismo tiempo que trataba de pensar en alguna forma de cambiar de tema. Pero no se me ocurría nada apropiado.

—¿Entonces… qué? —me preguntó.

—Nada. —Le sonreí bastante incómodo—. Te iba a preguntar cuándo volverás a la escuela, pero, ya sabes, es una pregunta bastante estúpida.

—Ajá, sí, bueno, no sé —dijo distraída—. La verdad es que no lo había pensado. Supongo que tendré que regresar en algún momento, tal vez después de Semana Santa. Pero por lo pronto todavía no me puedo hacer a la idea. No sé si algún día podré hacerlo, para ser franca. Es sólo que, como que no quiero hacer nada. No quiero ver a nadie ni hablar, no quiero pensar en nada. Lo único que quiero es quedarme aquí con las cortinas cerradas. No, vaya, ni siquiera quiero hacer eso. —Su voz era como un susurro quebrado—. Me arruinaron, Tom. Esos malditos me *arruinaron* por completo.

—Sí.

—Mira, creo que es mejor que te vayas. Lo siento, es que…

—Está bien —le dije sin alterarme y me puse de pie.

—Tal vez en otra ocasión.

—Sí, sí, claro. —La miré—. Si quieres, podría venir mañana. O no, es decir, como tú quieras.

—Sí —murmuró—, mañana. Sería lindo. Es sólo que necesito estar sola ahora.

Asentí y me dirigí a la puerta.

—Gracias, Tom —la escuché susurrar.

Me sonrió con tristeza.

—Lo que quiero decir es gracias por, no sé, gracias por escuchar y todo lo demás. Fue, fue, bueno, ya sabes. Gracias.

—Sí, no hay problema —le dije—, te veo luego, Luce.

—Ajá.

111

Hay hombres tan divinos, tan excepcionales que, de manera natural, gracias a sus dones extraordinarios, trascienden todo juicio moral o control constitucional. No hay ley que pueda aplicarse a hombres de ese calibre porque ellos son, en sí mismos, la ley.

ARISTÓTELES

Cuando regresé a la sala, Ben seguía tirado en el sofá viendo la tele; escuché que su mamá estaba en la cocina lavando trastes. Me acerqué y me senté junto a él.

—¿Todo bien? —gruñó sin separar los ojos de la televisión.

—En realidad, no —le dije.

Encogió los hombros y continuó mirando la pantalla de la televisión. Me senté un rato en silencio y traté de ignorar los fragmentos de televisión en línea que estaban en mi cabeza y que, estoy seguro, me habrían podido decir lo que Ben estaba viendo si de verdad me hubiera importado enterarme. Pero no quería.

—Te diré algo —le susurré a Ben con tacto—. Si me dices qué fue lo que hiciste para enfadar tanto a los Cuervos, no le contaré a nadie acerca del iPhone.

—¿*Qué?* —dijo con brusquedad y de inmediato apartó la mirada de la pantalla.

—Ya me oíste.

—No sé de qué estás hablando.

—No, sí sabes —agregué—, lo único que quiero es que me digas por qué vinieron los Cuervos a hacerte pomada —me le quedé viendo—. Tú me dices eso y yo no le digo a nadie que me arrojaste el iPhone.

Justo en ese momento, su mamá gritó desde la cocina:

—¿Todo bien por allá, Ben?

—Sí, má —respondió—, sólo estoy platicando con Tom. Todo okey.
Volteó hacia mí y susurró

—¿Cómo sabes lo del iPhone?

"Porque tengo fragmentos de él incrustados en el cerebro —quise decirle—, por eso. Y porque de alguna manera, de alguna irreal, impensable e increíble manera, esos fragmentos están interactuando con mi mente y me están dando acceso a todo lo que tiene acceso un iPhone y a mucho más, y eso, en conjunto, es bastante información. Porque entre toda esa información hay una serie de códigos y claves, una serie de datos de seguridad, que, en su crudo estado, no significa nada para mí, pero que de alguna manera, reitero, se ha filtrado y/o traducido en algo que sí tiene lógica, y por lo tanto, sé que el iPhone jamás se vendió, jamás se registró y casi nadie lo usó. Porque también tengo acceso a un reporte de robo y a una declaración del gerente de la Bodega Carphone de la Avenida Principal, en la que se incluyen detalles acerca del robo de un iPhone el dos de marzo. Y porque en la declaración se describe al ladrón y eres tú, Ben. Así fue como me enteré de que tú robaste el iPhone, ¿te quedó claro?"

Pero por supuesto, no le dije nada de eso. En su lugar, dije:

—No importa cómo lo sé, lo sé y punto. Y si quieres que también se entere tu mami, y la policía y…

—¿Mi *mami*? —preguntó con desdeño—, a *ella* le puedes decir lo que se te dé la gana, me importa un bledo.

—¿Ah sí? —le pregunté—, ¿y entonces por qué estás susurrando?

Me fulminó con la mirada, me miró con todo el odio y desdén que pudo, pero yo creo que sólo era puro teatro. Finalmente todos los chicos pandilleros de por aquí le tienen miedo a sus mamás. Claro que nunca lo aceptarían. Sin embargo, sin importar qué edad tengan, cuán viciosos sean, ni cuán maleados o emocionalmente muertos estén: en el fondo todos son sólo hijitos de mami. Y Ben no era la excepción.

—Entonces —proseguí—, ¿me vas a decir qué sucedió o quieres que vaya a cotorrear un rato con tu mamá?

Negó con la cabeza.

—No te voy a dar nombres…

—No te pedí nombres, sólo quiero saber qué pasó.

—Está *bien* —masculló entre dientes—, pero sólo no hables en voz alta, ¿okey?

Lo miré con más intensidad.

—Sigo esperando.

—Mira —susurró—, no tuvo nada que ver con el iPhone, ¿sí? Bueno, no realmente, o sea, yo estaba con algunos de los FGH cuando lo robé, pero…

—¿Los FGH?, ¿y qué estabas haciendo con esos tipos?

—Nada, sólo me juntaba con ellos, ya sabes.

—Pensé que te juntabas con los Cuervos.

—Bueno, sí, pero las cosas comenzaron a ponerse un poquito densas con ellos, ya sabes.

—¿A qué te refieres? —titubeó, y yo insistí—: ¿A qué te *refieres*, Ben? Respiró hondo.

—Querían que le diera una lección a un tipo, ya sabes, que lo apuñalara. No sé por qué. No era de los FGH ni nada por el estilo, sólo era un tipo. Creo que traía broncas con uno de los Cuervos, un cuate que se llama… —volvió a titubear—, bueno, no, no recuerdo quién era. Pero bien, el caso es que me dieron un cuchillo y me dijeron que fuera a poner al tipo en su lugar. No que lo *matara* o algo así, sólo una calentadita, ya sabes.

—¿Y te negaste?

—Sí, claro, bueno, es que… por Dios Santo, yo no quería ir a *apuñalar* a nadie. —Me miró, y de golpe ya no era el frío y maldito chico callejero que fingía ser, era solamente el niño de siempre. Resolló y luego se sonó la nariz—. Les dije que no lo iba a hacer —agregó.

—¿Por eso vinieron por ti? —le pregunté—. ¿Porque les dijiste que no lo harías?

Asintió, estaba llorando.

—¿Entonces vinieron después de clases, abriste la puerta y...?

—Ajá —murmuró y se enjugó las lágrimas—, no sabía, o sea, no tuve tiempo para pensar. Uno de ellos me golpeó en la cabeza en cuanto abrí, y luego, de pronto ya me estaban madreando entre todos, dándome una tremenda paliza; y eran un montón. No pude hacer nada, sólo me quedé tirado en el piso mientras me pateaban la cabeza. Ni siquiera recuerdo todo lo que pasó; yo creo que me desmayé. Ni siquiera supe lo que lo habían hecho a Lucy sino hasta mucho después. —Negó con la cabeza—. No *sabía*, Tom, no podría haber hecho nada para impedirlo.

—Sí —le dije—, ya sé que no fue tu culpa.

Entonces resopló con displicencia.

—Ben, tú no lo hiciste —le aseguré—. Fueron *ellos*. Ellos son los únicos culpables.

—Sí, pero de no haber sido porque yo...

—Tienes que dejar de pensar de esa manera.

—No puedo.

—Bueno, ¿y qué hay del iPhone? —le pregunté.

Sorbió con la nariz, tragándose mocos y lágrimas por igual.

—No sé, creo que uno de ellos me lo sacó del bolsillo después de golpearme. No recuerdo —se encogió de hombros—; supongo que sólo lo aventaron por la ventana para divertirse, ya sabes cómo son. —Por primera vez, miró la herida en mi cabeza—. No sé quién lo arrojó, Tom.

—¿Me lo dirías si supieras?

—Lo más seguro es que no. Porque ya sabes cómo son las cosas.

—Ajá.

—No serviría de nada.

—¿Qué?

—Tratar de averiguar quién lo hizo. No cambiaría nada.

—Sí, ya he escuchado mucho eso, Ben.

—Bueno, así es, no cambiaría nada.

Lo miré; mis emociones se debatían entre la lástima y algo muy cercano al odio. A pesar de lo estúpido que fue, para empezar, involucrarse con los Cuervos y los FGH, en realidad no era *su* culpa que le hubieran dado una golpiza y que a su hermana la hubieran violado. Además, entendía perfectamente por qué no quería dar nombres y por qué ni siquiera había pensado en que se castigara a los atacantes. Sin embargo, creo que estaba equivocado sobre el hecho de que no cambiaría nada. Tal vez, en términos de retroceder y deshacer lo que les había sucedido a él y a Lucy, efectivamente no cambiaría nada, pero atrapar y castigar a los culpables sí podría evitar que alguien más se salvara de pasar por lo mismo.

"Pero entonces —me pregunté— si te parece tan despreciable que Ben se niegue a dar nombres, ¿por qué no sientes lo mismo respecto a Lucy?"

No tenía respuesta.

—¿Te han seguido molestando los Cuervos? —le pregunté a Ben y él lo negó.

—No, en realidad no, sólo me hacen advertencias, ¿sabes? Me dicen que mantenga la boca cerrada si no quiero que me hagan algo peor; ese tipo de amenazas.

—¿Y los FGH?

—¿Los FGH, qué?

—Sí, vaya, ¿te sigues juntando con ellos?

—No. —Me miró—. ¿No estarás pensando en hacer algo, verdad?

—No —le contesté—. No voy a hacer nada.

Cuando salí del departamento de Lucy estaba muy enojado de verdad, pero no estaba seguro por qué. No sabía si era por la debilidad de Ben, por la brutalidad de los Cuervos, por la estupidez ésa de que no se puede hacer nada respecto a nada, o tal vez sólo era una mezcla de todo lo anterior. Como ya dije, no sabía bien *qué* era, pero cuando salí de ahí toda la ira acumulada hervía en mi interior. Sentía que la cabeza me palpitaba; la piel resplandecía y el cerebro me cosquilleaba. Y luego, en el interior de mi cabeza… comencé a escuchar voces.

Voces que hablaban por celular.

Hubo un instante, antes de que pudiera escuchar las voces con claridad, en el que sólo parecían formar parte de una inmensa nube de otras voces, de millones y millones de personas que conversaban al mismo tiempo. Y luego, de alguna manera, dos de esas voces se separaron de la enorme nube con forma de remolino, como si fueran dos pájaros que se separan de una parvada de millones de aves. Y entonces no sólo pude discernir las dos voces con toda claridad, también supe de dónde provenían y de quiénes eran.

—*Sí, ajá, el chico Harvey* —dijo la primera voz—. *Creo que la conoce. Subió hace como una hora.*

Era Jayden Carroll, el chico con el que me había encontrado en el ascensor. Estaba llamando desde el piso de abajo.

—*¿Y entonces?* —contestó la segunda voz—. *Ella no irá a decirle nada, ¿verdad?*

Ése era Eugene O'Neil. Estaba en un departamento del tercer piso del edificio Disraeli.

—*Sólo quería que estuvieras informado, eso es todo* —dijo Jayden—, *pensé que querrías…*

—*Ajá, sí, sí, está bien. ¿Sigue ahí con ella?*

—*Ni idea.*

—*Bueno, pues sube e investiga. Si ya se fue, habla con el hermano. ¿Cómo se llama?*

—*Ben.*

—*Ajá, sí. Pregúntale a él qué quería Harvey y recuérdale que tiene que mantener la boca cerrada.*

—*¿Quién? ¿Harvey?*

—*¡No, carajo, el hermano! Sólo repítele lo que ya le dijimos, ¿okey?*

—*Ajá.*

—*Entonces ve.*

—*Correcto.*

Y la llamada terminó.

Mientras esperaba a que Jayden Carroll subiera, sentí que las palpitaciones, el resplandor y el cosquilleo en mi cabeza comenzaban a extenderse. Al rostro, al cuello, los brazos y el pecho. Todo mi cuerpo comenzaba a sentirse muy loco, como que fulguraba y emitía un zumbido, además de calor.

Me puse la capucha de la chamarra sin siquiera pensarlo.

El ascensor ya venía subiendo. No estaría seguro de lo que haría, sino hasta que llegara. Lo único que me quedaba claro era que iba a actuar.

Conforme se fueron iluminando los números encima del ascensor, 20, 21, 22, miré mi reflejo en la puerta. El acero estaba rayado, grafiteado y sucio, por lo que el reflejo estaba algo empañado. Sin embargo, tenía la suficiente claridad para permitirme ver que la figura encapuchada a la que estaba mirando no se parecía en nada a mí. No se parecía a *nada*. El rostro, *mi* rostro, pulsaba, flotaba e irradiaba colores, formas, palabras, símbolos. Mi piel estaba viva. Mi rostro era un millón de imágenes distintas a la vez. Seguía siendo yo, seguían siendo mi rostro, mis rasgos y mi piel, pero en medio del resplandor, todo se había tornado irreconocible.

Antes de poder acercarme a ver mi reflejo de cerca, sonó la campana del ascensor y las puertas se abrieron. Jayden salió. Cuando me vio ahí parado como un ser encapuchado con un rostro de pesadilla, se paralizó. Se quedó conmocionado, aterrado a morir. Extendí los brazos para ponerlo de vuelta en el interior del ascensor. Sólo quería darle un empujón, pero cuando mi mano tocó su pecho, mis dedos brillaron y sentí que algo me sacudía el brazo. De pronto Jayden iba volando de espaldas como si lo hubieran golpeado con un mazo. En cuanto rebotó con la pared del ascensor y se desplomó al suelo haciendo un raro resoplido, me metí y cerré las puertas.

Cuando oprimí el botón de la planta baja, percibí un ligero olor a electricidad, un aroma caliente y crepitante. Entonces me di cuenta de que la piel de mis manos también resplandecía como mi rostro y las yemas de los dedos brillaban con una luz roja.

El ascensor comenzó a bajar.

Miré a Jayden en el suelo. Estaba muy pálido. Su rostro lucía blanco y rígido; las manos le temblaban.

—¿Estás bien? —le pregunté.

—¿Eh?

—¿Estás bien? —repetí.

Se me quedó viendo por un momento y luego se limpió la boca y escupió al piso.

—¿Qué diablos *eres*?

Supuse que con eso quería decir que no estaba lastimado.

—Soy tu peor pesadilla —le dije acercándome.

—¿Mi qué?

Me puse de pie junto a él.

—Si te llegas a acercar a Lucy o a Ben Walker de nuevo haré que desees nunca haber nacido.

Intentó sonreírme para hacerme saber que no tenía miedo, pero los labios le temblaban demasiado. Volvió a escupir.

—No sé quién carajo eres —dijo— ni qué diablos crees que estás haciendo.

No me sentía de humor para su plática de tipo rudo, así que sólo me agaché y le toqué la frente con mi dedo. Sentí otra vez la sacudida en mi brazo, sólo que en esta ocasión fue un poco más intensa. Jayden aulló en el momento que su cabeza se estampó contra la pared.

—¡Maldita sea, hombre! —gritó— ¿Qué demo...

—¿Quieres que lo vuelva a hacer? —le pregunté al mismo tiempo que me inclinaba y acercaba mi mano a su frente.

—¡No! —gritó alejándose de mí—. No, no...

El ascensor ya estaba llegando a la planta baja.

Me volví a inclinar y le susurré a Jayden al oído:

—Esto no es nada, ¿ajá? No es nada comparado con lo que te podría hacer. No es nada, ¿entendiste?

Jayden asintió.

—Ajá, ajá... ya entendí.

—Te vas a alejar de Lucy y de Ben, ¿de acuerdo?

—Ajá.

—Qué bien. Porque si no lo haces, la próxima vez que te vea no vas a poder levantarte del suelo. ¿Comprendes?

—Ajá, sí.

La campana del elevador sonó cuando llegamos a la planta baja. Las puertas se abrieron y miré a Jayden por última vez. Luego salí. No había nadie, así que crucé hasta las escaleras y comencé a subir.

No quería pensar en lo que acababa de hacer. ¿Había sido lo correcto?, ¿no?, ¿cómo diablos lo *había hecho*? No, no podía permitirme pensar en todo eso. No por el momento. Tenía que concentrarme en subir las escaleras, hacer que mi piel volviera a la normalidad y volver a casa.

No sabía, de manera consciente, cómo hacer que mi piel se normalizara, pero cuando llegué al tercer piso, sentí que ya se había comenzado a enfriar, y a pesar de que no había espejos para revisar mi rostro, pude ver que mis manos habían vuelto a ser *mis* manos.

Pensé en salir del área de las escaleras y tomar el elevador, pero no sabía si Jayden todavía andaba por ahí, y no quería volver a verlo, por lo que seguí subiendo a pie.

Cuando llegué al piso veinte, vi a tres tipos apoyados en la pared fumando *crack* en pipas. Tenían como diecinueve o veinte años, y estaban drogadísimos.

Tuve que saltar entre ellos para poder pasar.

—Disculpen, necesito pasar.

—Ooooye, carajo —me dijo uno de ellos, arrastrando las palabras y estirando la mano toda mugrosa—, dame tu…

Le eché un vistazo a su mano, y mi cabeza como que encendió la electricidad. Le di un toque ligero, sólo para sorprenderlo, nada más para que sintiera un pinchazo leve. Quitó la mano con toda rapidez y maldijo, y su otra mano soltó la pipa al mismo tiempo. Comenzó a tentar por el suelo buscando la pipa y, al mismo tiempo, agitaba en el aire los dedos en los que le había dado la descarga eléctrica. Entonces aproveché para pasar encima de ellos y subí por las tres últimas escaleras para llegar al piso veintitrés.

No importaba cuán bizarra y aterradora fuera la onda que estaba sucediendo con el iPhone y mi cerebro (¡y vaya que era endemoniadamente bizarra y aterradora!), sin duda alguna, tenía sus ventajas. Sólo tenía la esperanza de que, con el tiempo, después de mucho pensar y razonar el asunto, me fuera resultando cada vez menos extraño.

Muy poco probable.

1000

El iPhone ya se ha apoderado de algunas de las funciones princi-
pales de mi cerebro. Reemplazó parte de mi memoria por medio
del almacenamiento de números y direcciones con las que alguna
vez habría abrumado a mi mente. El iPhone alberga mis deseos.
Mis amigos dicen en broma que debería hacer que me implanta-
ran el iPhone en el cerebro. Pero lo único que lograría con eso
sería acelerar los procesos y tener las manos libres. El iPhone ya
forma parte de mí; el mundo no funciona sólo como un instru-
mento para ayudarle a mi mente. Más bien, las partes más rele-
vantes del mundo se han convertido en partes de ella. Mi iPhone
no es mi herramienta, o al menos, no lo es por completo. Podría
decirse que algunas partes de él, se han vuelto partes de mí.

DAVID J. CHALMERS
Prólogo de *Supersizing the Mind* (2008), de ANDY CLARK

Pasé el resto de la noche recostado en mi cuarto con los ojos cerrados:
mirando dentro de mi cabeza. Fue una noche bastante tranquila a pesar de todo (Crow Town nunca está callado por completo). De todas
formas yo estaba muy acostumbrado a los sonidos distantes que se
escuchaban en el conjunto, las voces exaltadas, el amortiguado sonido
de la música, los motores acelerando y el rechinido de los coches que
seguramente eran robados. En conjunto era una especie de no-ruido
para mí. También había bastante tranquilidad en el departamento,
sólo se escuchaba el suave tecleo de Abue y su ocasional maldición de
enojo. Podía oler el tenue aroma a tabaco que provenía de su cuarto;
así resultaba bastante fácil imaginarla encorvada sobre la *laptop*, tecleando como loca y con el trozo de puro quemándose entre sus labios,
la ceniza cayendo de repente sobre su ropa, los diminutos agujeros que
ésta hacía en su blusa y sus pantalones. Por eso maldecía.

De cualquier forma, había bastante calma para que yo pudiera yacer ahí en la oscuridad tratando de encontrarle la lógica al bizarro y aterrador cibermundo que estaba dentro de mi cabeza.

Al principio era demasiado para mí. Lo que sabía, lo que sentía, aquello a lo que tenía acceso era demasiado vasto, demasiado ajeno e increíblemente *colosal* para comprender. Era como darte cuenta de repente que sabes todo lo que se puede saber. Podía verlo, escucharlo, encontrarlo, conocerlo. Podía llegar a cualquier lugar del mundo y saber cualquier cosa que quisiera. Todo estaba ahí: información, fotografías, cartas, números, palabras, símbolos, rostros, voces, cuerpos, corazones, pensamientos, lugares… todo. Pero era demasiado al mismo tiempo. Era demasiado conocimiento. Así que traté de concentrarme, de enfocarme. Traté de poner algo de orden en todo ese caos, y me pareció que la mejor forma de hacerlo era volver al principio. Y el principio de todo este asunto era el iPhone.

Todo lo que necesitaba saber acerca de iPhones, o más bien, todo lo que *ya sabía*, llegó a mí en un instante:

El **iPhone** es un teléfono inteligente con acceso a Internet y a multimedios, diseñado y comercializado por Apple Inc. El iPhone funciona como un teléfono con cámara (que también incluye mensajes de texto y correo de voz visual), un reproductor de medios (equivalente a un iPod de video) y un cliente de Internet (con correo electrónico, buscador de Internet, y conectividad WiFi) que hace uso de la pantalla multi-touch del teléfono para ofrecer un teclado virtual en lugar de uno físico. El teléfono de primera generación (conocido como El Original) fue un quad-band GSM con EDGE; el teléfono de segunda generación (conocido como 3G) incluía, además, UMTS con 3.6Mbps HSDPA; la tercera generación incluye un soporte de 7.2Mbps HSDPA de descarga, pero se mantuvo limitado a 384Kbps de carga porque Apple todavía no había implementado el protocolo HSPA. El 8 de junio de 2009 se anunció el **iPhone 3GS**, en el cual se ha mejorado el desempeño con una cámara de más megapixeles y capacidad de video, así como control por medio de la voz.

Fabricante	**Apple Inc.**
Tipo	Candybar Smartphone
Fecha de salida a la venta	**Original:** 29 de junio, 2007 **3G:** 11 de julio, 2008 **3GS:** 19 de junio, 2009
Unidades vendidas	21.17 millones (hasta Q2 2009)
Sistema operativo	iPhone OS 3.1.2 (counstruido 7D11), puesto a la venta 8 de octubre, 2009
Poder	**Original:** 3.7V 1400mAh **3G:** 3.7V 1150mAh **3GS:** 3.7V 1219mAh Batería interna recargable no removible de polímero de ion de litio
CPU	**Original y 3G:** Samsung 32-bit RISC ARM 1176J (F)-S v1.0 620MHz encadenado a 412Mhz Poder VR MBX Lite 3D GPU **3GS:** Samsung S5PC100 ARM Cortex-A8 833 MHz encadenado a 600 MHz Poder VR SGX GPU
Capacidad de almacenaje	Memoria flash **Original:** 4, 8 & 16 GB **3G:** 8 & 16 GB **3GS:** 16 & 32 GB

Memoria	**Original & 3G:** 128MB eDRAM **3GS:** 256MB eDRAM
Pantalla	320 x 480px, 3.5in (89mm), 2:3 Radio de aspecto, 18-bit (262, 144-color) LCD A 163 pixeles por pulgada (ppi)
Input	Pantalla multi-touch, controles de audífonos, sensores de luz de proximidad y ambiente, acelerómetro de 3-ejes **3GS también incluye:** brújula digital
Cámara	**Original & 3G:** 2.0 mexapixeles con geotagging **3GS:** 3.0 megapixeles con video (VGA a 30fps), geotagging y enfoque, balance de blancos y exposición automáticos.
Conectividad	WiFi (802.11b/g), Bluetooth 2.0+EDR (**3GS:** 2.1), USB 2.0/Puerto conector Quad Band GSM 850 900 1800 1900MHz GPRS/EDGE **3G también incluye:** A-GPS, Tri band UMTS/HSDPA 850, 1900, 2100MHz **3GS también soporta:** 7.2Mbps HSDPA
Servicios en línea	iTunes Store, App Store, MobileMe
Dimensiones	**Original:** 115mm (4.5in) (h)

61mm (2.4in) (*w*)
11.6mm (0.46in) (*d*)
3G & 3GS:
115.5mm (4.55in) (*h*)
62.1mm   (2.44in) (*w*)
12.3mm (0.48in) (*d*)

Peso   **Original & 3GS:** 135g (4.8oz)
                  3G: 133g (4.7oz)

En realidad era mucha más información de la que necesitaba, y además, a la mayor parte ni siquiera le entendía. Sin embargo, me confirmaba lo que ya había imaginado: que tenía capacidad WiFi, que me podía conectar a la red. Tenía acceso a todas las páginas web del mundo, lo cual es bastante:

- **Número de páginas en el mundo hasta agosto de 2005:** Para agosto de 2005, Yahoo había indexado 19.2 millardos de páginas.
- **Número de sitios web en el mundo hasta agosto de 2005:** Para agosto de 2005, Netcraft había indexado 70,392,567 sitios web.
- **Número de páginas web por sitio:** 273 (redondeado al número más cercano).
- **Número de páginas en el mundo hasta febrero de 2007:** Al multiplicar nuestro estimado del número de páginas web por sitio de la cuenta de sitios web de Netcraft para febrero de 2007, llegamos al número de 29.7 millardos de páginas en la World Wide Web.

Y aún había más. Había bancos de datos, sitios de seguridad, programas y sitios a los que, supuestamente, no podían ingresar usuarios no autorizados. Pero en mi iCerebro sabía bien cómo quebrantar los sistemas de seguridad.

Mi iCerebro, mi iSer...

Mi iYo.

¿Qué más me permitía hacer? Bien, pues podía enviar y recibir textos y llamadas, claro. Y lo mejor, es que parecía que podía hacer llamadas y enviar textos de una manera completamente anónima. Así que, si quería, podía enviar textos y hacer llamadas sin que nadie supiera quién lo había hecho. Y también podía escuchar otras llamadas. Podía ingresar a otros celulares, ver los textos almacenados, listas de llamadas, agendas, todo lo que hubiera en ellos. Lo sabía todo. Sabía en dónde estaban localizados los teléfonos; podía triangular sus señales o, en el caso de muchos de los nuevos teléfonos, podía sencillamente localizarlos por medio de sus chips de GPS. Podía alcanzar las ondas que invadían el aire y elegir una conversación telefónica específica entre millones de otras llamadas.

¿Qué más?

Podía tomar fotografías — *click*.

Podía grabar video — *click, rrrrum*.

Podía ver videos, programas de televisión, jugar juegos.

Podía ver cualquier correo electrónico en cualquier computadora o iPhone del mundo.

Podía descargar todo lo descargable.

Virtualmente podía hacer cualquier cosa.

Podía sufrir una sobredosis de información.

Abrí los ojos y me quedé mirando en la oscuridad por un rato, vaciando mi cabeza de todo lo que contenía. Me sentía drenado, exhausto. Me dolía el cráneo. Estaba emocionado, confundido, azorado, impresionado...

Esto, lo que quiera que fuera y *como* quiera que estuviera sucediendo, era...

Vaya, inspiraba asombro.

Dentro de mi cabeza, un reloj controlado por radio (que recibía su señal a través del aire desde Anthorn, en Cumbria [MSF 60kHz], me indicó que eran las 23:32:43.

Levanté las manos y las sostuve frente a mi cara. De mi piel manaba una luz sutil, delicada y casi purpurea. La observé (resultaba extraño que ya no me sorprendiera) y noté que el brillo había comenzado a titilar. Mi piel comenzó a palpitar otra vez, a irradiar, flotar, a girar con la esencia de todo. No tuve que ver el resto de mi cuerpo para saber que el fenómeno se había extendido, podía sentirlo. Y ahora que lo observaba de cerca por primera vez, supe lo que era. Era *todo*, era el mismo tipo de todo que tenía en mi cabeza: 30 millardos de páginas web, galaxias de palabras y fotografías y sonidos y voces… todo eso titilando en, sobre y debajo de mi piel.

Y ahora podía controlarlo.

Lo único que tenía que hacer era apagar algo en mi cabeza (aunque no sabía lo que era), y entonces mi piel volvía a la normalidad. Lo encendía de nuevo, y volvían las cibergalaxias. Estaba aprendiendo.

A las 00:49:18 supe que Lucy no había usado su celular desde el día del ataque, que no había enviado ningún mensaje ni correo electrónico, y que tenía una cuenta en Bebo pero que no se había registrado actividad en ella durante meses. No había mensajes, ni comentarios, ni entradas de blog, nada. De hecho, su perfil de Bepo estaba prácticamente en blanco. No tenía amigos, ni fotos, ni videos, ni favoritos; no había nada de información. Lo único que había era su nombre en esa red *aGirl*. Eso era todo.

A la 01:16:08 aprendí a *hackear* las computadoras personales de los detectives del Departamento de Investigación Criminal (CID) de la estación de policía del Barrio de Southwark. Así descubrí que tres sospechosos de haber cometido la violación y el ataque de Lucy Walker seguían siendo investigados, pero que el Detective Superintendente Robert Hall (Oficial Mayor de Investigación) no esperaba que se realizara ningún arresto próximamente.

Los nombres de los sospechosos eran: Eugene O'Neil, alias "Yoyo", Paul Adebajo, alias "Cutz", y DeWayne Firman.

Se sospechaba la participación de otros individuos pero no existía evidencia en su contra: Yusef Hashim, Nathan Craig, alias "Fly", y Carl Patrick, alias "Trick".

Entre la 01:49:18 y las 02:37:08, después de experimentar con una navaja de explorador y una vieja pistola de juguete que disparaba perdigones, descubrí que cuando mi iPiel estaba encendida, se generaba un escudo de fuerza magnético sobre todo mi cuerpo.

Y a las 02:57: 44, después de leer un artículo llamado "Electricidad es pensamiento humano", de H. Bernard Wechsler, me enteré de que:

Todo pensamiento, sentimiento y acción del *Homo sapiens* se origina en las señales eléctricas que emiten los circuitos de células del cerebro. Recuerda que tu cerebro se comunica con todas las células del cuerpo por medio de impulsos eléctricos (hormonas, enzimas y neuropéptidos). Además, creemos que la Conciencia es en realidad imágenes mentales generadas de forma eléctrica en el lóbulo occipital y en el precuneus. Lo que tenemos en común con la computadora, la televisión, los juegos de video y el teléfono es el uso de electricidad y de campos electromagnéticos como fuente de energía.

La electricidad es el movimiento de una carga de energía a lo largo de un alambre. En el caso de las neuronas (células nerviosas), la señal eléctrica se mueve en forma del Potencial de acción. Dentro de las neuronas existe una carga generada por nanobombeos que sacan de las células a los Iones cargados. Nosotros estamos involucrados de manera permanente en el proceso de polarización y despolarización de Iones a través de Compuertas que están en las membranas nerviosas y que provocan las contracciones de los músculos que producen el movimiento. El Potencial de acción le envía señales al sistema nervioso central y, de esa manera, se envían los impulsos de manera eléctrica del cerebro a todas las demás partes del cuerpo.

Las membranas tienen dos tipos de proteínas: el primer tipo lo conforman los Canales iónicos para el sodio (Na), afuera de la célula, y para el potasio (K), dentro de la célula. Cuando la célula nerviosa recibe un estímulo, abre algunos de estos canales iónicos. El segundo tipo de proteína es el ATP, un transportador. El ATP (adenosín trifosfato) transporta energía química dentro de las células para establecer el Metabolismo.

Y a pesar de que el artículo no explicaba cómo los resquebrajados fragmentos de una batería de polímero de ion de litio podían fusionarse con la energía eléctrica orgánica de mi cerebro (o mi cuerpo) y producir un nivel de poder que está por encima y más allá de la suma lineal de las dos fuentes de poder originales, un nivel de poder suficiente para generar una poderosa descarga eléctrica y crear un campo de fuerza protector...

Bueno, la verdad es que no explicaba nada. Pero para ser honestos, ya para ese momento había dejado de buscar explicaciones. Es decir, el Hombre Araña nunca se preocupó mucho por conseguirlas, ¿verdad? Sólo lo mordió una araña diseñada genéticamente, adquirió sus súper poderes arácnidos, frunció el ceño con incredulidad como por un minuto o dos, y eso fue todo. No se pasó horas y horas tratando de *entender* lo que sucedía, ¿o sí?

—¿El Hombre Araña? —me escuché murmurar—. ¡Dios santo!

No podía creer que me estuviera comparando con un superhéroe ficticio. Era ridículo. Absolutamente *ridículo*.

A las 03:04:50, después de forzarme a dejar de pensar acerca de la realidad y la irrealidad de los superhéroes, intercepté un video que salió de algún celular y cuyo destino era el de Lucy. Era de una chica llamada Nadia Moore que vivía en Eden House. El video también incluía un mensaje de texto. El texto decía: *so lo para re kor drt lo prra q ers*.

Tenía idea de lo que aparecería en el video, y no *quería* verlo, pero sabía que tendría que hacerlo. Así que, después de bloquearlo para que no llegara al teléfono de Lucy, me abracé a mí mismo, presioné *PLAY* dentro de mi cabeza y comencé a ver un video tembloroso y borroso del ataque a Lucy y Ben.

No puedo describir lo que vi.

No hay palabras suficientemente enfermizas.

Lloré tanto que me dolió.

No pude verlo completo. Algunas escenas eran demasiado viles, demasiado descorazonadoras para observarse. Sin embargo, después de ver la mayor parte, supe que la policía tenía razón sólo hasta cierto punto. Los seis individuos que sospechaban que habían participado, O'Neil, Adebajo, Firman, Hashim, Craig y Patrick, sí estaban ahí, y definitivamente, los primeros tres fueron quienes hicieron las peores cosas. Pero no habían sido los únicos en el lugar. Había otros. Algunos de ellos habían estado en el departamento desde el principio, y otros llegaron después, respondiendo a los mensajes y llamadas que Carl Patrick y Nadia Moore, quienes aparentemente eran pareja, habían hecho. Lo más asombroso era que Nadia había sido quien realizó la grabación del video. Ellos siguieron enviando mensajes y llamando a sus amigos durante el ataque para invitarlos a ir, como si fuera una especie de circo o algo así: *¡¡porn casero 4u!! ¡Men kanta!... Ben y B la div r sion*. Y sus amigos *fueron*. Para cuando O'Neil y los otros habían terminado con Lucy y Ben, ya había como seis o siete tipos más en el departamento.

Algunos de ellos tenían el rostro cubierto, por lo que no pude identificarlos a través del video. Sin embargo, reconocí a la mayoría. Ahí estaban Jayden Carroll, un par de chicos negros del edificio Addington llamados Big y Little Jones, y también algunos chavitos de no más de doce o trece años, a los que no conocía pero sí había visto por ahí. Ah, y también estaba Davey Carr. Davey fue quien sacó el iPhone del bolsillo de Ben y lo arrojó por la ventana. Se moría de risa cuando lo hizo.

Quería eliminar el video, borrarlo de mi cabeza. No quería que siguiera ahí, no quería que *existiera*.

Pero no podía hacerlo.

Aún no.

Tal vez lo necesitaría después.

Lleno de ira, me conecté dentro de mi cabeza al celular de Carl Patrick y desde ahí le envié un mensaje a su novia, Nadia Moore: *leona*, escribí, kiero ver t otraves YA. xxxxx ¡eres x tra kalien t! tkro xxxxxx

Sí, era patético, lo sabía. Era insignificante y estúpido, y era absolutamente inútil, y ni siquiera me hizo sentir mejor ni un poquito. ¿Pero y qué? Tampoco me hizo sentir peor.

A las 03:41:29 Lucy ingresó a su perfil de Bebo, abrió su blog y comenzó a escribir. Según yo, era la primera vez que escribía algo ahí. Sabía que no debía espiarla y me sentía como un ladronzuelo al hacerlo, me sentía avergonzado. Pero a pesar de toda la culpa que me invadía, el deseo de saber cómo se sentía y en qué estaba pensando, eran mucho más fuertes.

No escribió gran cosa:

no sé por qué escribo esto, no sé por qué, si sé que nadie lo va a leer, pero creo que sólo necesito escribir mis sentimientos. necesito decirle a alguien aunque sea sólo yo. me siento muerta. herida. nada volverá a ser bueno. nada vale nada ya. todo lo bueno se fue.

Kbueno fue d verdad verlo, me hizo sentir no tan muerta por un rato, pero hoy en la oscuridad todo vuelve y ya no puedo ver la luz. no siento nada. Quiero lastimarlos, quiero matarlos. los odio. quiero que se mueran, que sufran. pero para qué? ya lo hicieron y eso no va a cambiar, no puedo hacer que desaparezca.

Esperé un rato para ver si escribía algo más, pero después de unos quince minutos más o menos, se salió de Bebo y apago la *laptop*. Esperé otro poco mientras pensaba lo que debería hacer, lo que quería hacer, y luego, a las 03:57:33, cerré los ojos volví a ingresar a mi cibercabeza y creé una página de Bebo para mí. Estaba casi tan vacía como la de Lucy, es decir, no había fotos ni información. Lo que sí incluí fueron mis películas favoritas, *El Hombre Araña* y *El Hombre Araña 2*, porque una vez Lucy y yo las vimos juntos. En la sección de Música puse a Fall Out Boy y a Pennywise porque sabía que a Lucy le encantaban.

A la hora de escogerme un nombre, medité durante un buen rato y al final, tomando en cuenta que Lucy había usado en su perfil *aGirl*, así, en inglés, y pensando en que yo, me gustara o no, era mitad iPhone y mitad chico, me decidí por el nombre con el que uno de los Cuervos me había querido insultar ese mismo día en la mañana.

Me autonombré iBoy.

El perfil de Lucy era privado, es decir, en circunstancias normales, sólo sus amigos podían enviarle mensajes (si es que tenía amigos). También significaba que si quería que ella añadiera a iBoy como amigo, tendría que enviarle una solicitud, esperar a que ella volviera a entrar a la red, desear que quisiera añadirme y... bueno, pues no quería hace todo eso. Además, éstas *no eran* circunstancias normales y, por si fuera poco, yo era iBoy. Lo único que tenía que hacer era *pensar* en añadirme a su lista de amigos, *pensar* en crear el mensaje entre nosotros, hacerlo totalmente privado, totalmente instantáneo y totalmente restringido a aGirl y iBoy, y luego, *pensar* en enviar el mensaje, y listo.

> hola aGirl, —escribí/pensé/envié—, espero que no te moleste que te envíe este mensaje, pero leí tu blog y, aunque sé que no planeabas que alguien lo leyera, pues sólo quería decirte que si alguna vez necesitas hablar, siempre puedes buscarme. sé que no me conoces, que podría ser cualquier persona, pero si de algo sirve que te lo diga, pues créeme que no soy alguien a quien no le debas tener confianza. no soy nada en particular, sólo un chico de dieciséis años que no entiende lo que pasa.
>
> bueno, de cualquier forma, si quieres hablar conmigo, sería grandioso. pero si no, por favor, sólo no me contestes ni me digas que te deje en paz, y te prometo que no te volveré a molestar.
> iBoy

A las 04:17:01 descubrí que mi función de video estaba encendida todo el tiempo, que grababa todo lo que veía. Lo único que tenía que hacer para reproducirlo, era recordarlo y luego darle *PLAY*.

Y entre las 04:48:22 y las 06:51:16, descubrí que en verdad era muy difícil dormir cuando sabes todo lo que se puede saber y que a pesar de lo espectaculares que puedan ser, los superpoderes no te sirven de nada cuando lloras solo en la oscuridad.

1001

Hay pocas cosas que se puedan considerar sencillas en la Tierra de
Pandillas. Tus actividades cotidianas, tu papel en la comunidad,
tu futuro, la gente con la que trabajas, la gente con la que peleas, todo
es incierto y transitorio. Pero, paradójicamente, la mayor parte de
los integrantes de las pandillas tiene una percepción muy bien
definida de cómo está estructurado el mercado de las drogas. La
mejor manera de entender cómo funciona el mercado es imaginar
el proceso con el que se vende la fruta en un supermercado. En este
caso, los productores operan en Jamaica y Sudamérica. Sus clien-
tes son los más importantes miembros de las pandillas, es decir, los
Mayores y los Caritas, quienes son el equivalente a la administra-
ción de la cadena de supermercados. Debajo de ellos están los Jo-
vencitos: los gerentes de cada sucursal. Y luego vienen los cajeros
y asistentes en tienda, o sea, los Vendedores.

JOHN HEALE, *One Blood* (2008)

Esa noche (o mejor dicho, esa mañana) dormí exactamente cuarenta
minutos y dos segundos; habría sido muy agradable poder quedarme en cama al día siguiente sin hacer nada. Pero para cuando ama-
neció, estaba demasiado cansado para dormir. Además, sabía que si
me quedaba ahí, continuaría pensando en todo el asunto y eso era
algo que ya no podía seguir haciendo por el momento.

Necesitaba *actuar*.

Fui al baño, abrí la regadera y luego, de pie frente al espejo, encendí mi iPiel y observé cómo todo mi cuerpo comenzaba a brillar y a
cambiar. Era una sensación fascinante. El contorno del cuerpo, es decir, la *forma* que lo definía, casi no se distinguía; se iba haciendo borrosa y se iba mezclando con el fondo. Me convertía en una especie

de súper/cibercamaleón, y cuando me movía, los movimientos deja-
ban rastros fugaces en el aire que hacían que todo se viera aún más
desdibujado. Me quedé así como un minuto o dos, contemplándome,
y luego, cuando ya no pude soportar lo bizarro que me veía, apagué
todo y me metí a la regadera.

Veinte minutos más tarde, cuando daba vueltas por la sala de estar en busca de los zapatos, mi mochila y otras cosas, Abue entró
arrastrando los pies. Todavía tenía el camisón y las pantuflas puestos.
Por las bolsas que tenía debajo de los ojos y como no podía dejar de
bostezar, supe que ella tampoco había podido dormir bien.

—Buenos días, Tommy —masculló con un bostezo más—. ¿Qué
hora es?

—Como las ocho —le contesté—. ¿No has visto mi mochila?

—¿Cuál mochila? —se talló los ojos y me miró— ¿Qué haces?

—La de la escuela —le dije—, no la encuentro por ningún lado.

—¿La escuela? —dijo, mientras ya comenzaba a despertar—. ¿De
qué hablas? No vas a ir a la escuela.

—¿Por qué no?

—Ay, vamos, Tommy, por Dios santo, acabas de regresar del hospital. Estuviste diecisiete días en coma y, por si fuera poco, te realizaron una cirugía mayor. ¿Qué ya se te olvidó?

Le sonreí.

—¿Olvidar qué?

Negó con la cabeza.

—No es gracioso, necesitas descansar. La única razón por la que
el doctor Kirby te dejó volver a casa fue porque le prometí asegurarme de que descansarías bastante. —Volvió a mirarme—. Tienes que
llevártela tranquila por un tiempo, corazón.

—Ajá, sí, Abue, pero estoy bien. En serio.

—Yo sé que sí, y me voy a encargar de que así sigas.

—Pero sólo voy a ir a recoger unos libros y cosas así —agregué—.
No pensaba quedarme todo el día.

—Bueno, aun así —dijo con una ligera vacilación—, no creo que debas salir todavía.

Su vacilación fue muy ligera, pero fue suficiente para hacerme saber que iba por buen camino.

—Sólo va a ser media hora —le dije—, te lo prometo. Diez minutos para llegar, diez para recoger los libros y diez para volver a casa.

Abue negó con la cabeza.

—No sé, Tommy; y de cualquier forma, ¿para qué necesitas los libros? Es decir, ¿por qué de repente estás tan interesado en *aprender*?

—Tal vez fue la cirugía —le dije sonriendo—. Tal vez me convirtió en un genio en ciernes.

Una tenue sonrisa se dibujó en su rostro.

—Se necesitaría algo más que una neurocirugía para convertirte *a ti* en genio.

Puse cara de tarado y ella se rió.

—¿Entonces puedo ir? Te prometo que no me tardo —le dije.

Volvió a sacudir un poco la cabeza y suspiró.

—Te aprovechas de mi buena fe, Tom Harvey. Lo sabes, ¿verdad?

—¿Quién, yo?

—Eres un demonio, eso es lo que eres.

—Gracias, Abue —le dije.

Volvió a suspirar.

—Tu mochila está en la cocina.

Cuando salí del ascensor en la planta baja, el cartero iba llegando por la entrada principal. Mantuve la puerta del ascensor abierta hasta que él entró.

—Gracias, amigo —me dijo al pasar, y luego me miró—, eres Harvey, ¿verdad?

—Ajá.

Hurgó en su bolsa y me pasó un par de cartas.

—Aquí tienes —miré los sobres y vi que eran para Abue: "Señora Connie Harvey".

—No son para mí —le dije, tratando de devolvérselas—, son para mi...

Pero las puertas se comenzaron a cerrar.

—Gracias, amigo —alcanzó a decir el cartero.

La escuela queda a diez minutos, pero era una mañana fría y lluviosa, y además, el viento soplaba en las calles. Decidí ir en autobús. Me dirigí a la parada que está enfrente del edificio y deseé no tener que esperar demasiado. Tuve suerte porque, justo cuando llegué a la parada, también llegó el autobús. Me subí, le mostré al conductor mi pase y me fui hasta el fondo arrastrando los pies.

El autobús arrancó.

Eran las 08:58:11, un poco tarde para ir a la escuela. Tal vez por eso el autobús iba casi vacío y el asiento de hasta atrás era todo mío.

Miré las dos cartas que me había dado el cartero.

Cuando eres como Abue y como yo, o sea, que no tienes mucho dinero y estás acostumbrado a que sólo lleguen recibos y recordatorios de pagos pendientes, es muy fácil llegar a reconocerlos en poco tiempo. Nada más de ver los sobres de estas cartas, supe que eran advertencias legales.

Los abrí. El aspecto de la privacidad no era problema porque yo nunca abro las cartas personales de Abue; sin embargo, ella me permite abrir cualquier otra cosa que esté a su nombre. Como dice, finalmente, casi todo es basura de cualquier forma. El problema fue que estas cartas no eran basura. Y no eran nada más advertencias finales, eran las advertencias finales finales *finales*. Una de ellas venía del Ayuntamiento de la ciudad: era para informarle a Abue que debía tres meses de renta. La otra era un citatorio para presentarse en la Corte de Magistrados y explicar por qué no había pagado sus impuestos.

El autobús se sacudió y se detuvo. Estábamos atrapados en el tráfico y solamente habíamos avanzado como veinte metros desde la parada en que me subí. Había un embotellamiento a lo largo de todo

Crow Lane. Sabía que habría sido mucho más rápido bajarme y caminar, pero afuera estaba frío y húmedo. En el autobús hacía calorcito y, además, no importaba si llegaba tarde a la escuela porque nadie me estaba esperando.

Me asomé por la ventana y miré el tiradero industrial que se extiende entre Crow Lane y la Avenida Principal. Era lo mismo de siempre: acres de concreto resquebrajado, montículos de grava, cascarones achicharrados de coches robados y contenedores abandonados...

Un desierto opaco y gris bajo un cielo opaco y gris.

El autobús arrancó de nuevo. Yo cerré los ojos y pensé en los problemas económicos de Abue al estilo de mi iCerebro.

Abue no tenía una cuenta bancaria en línea, pero eso no era relevante. Lo único que mis neuronas digitalizadas tuvieron que hacer fue *hackear* su banco e ingresar a los detalles de su cuenta. De inmediato supe que estaba sobregirada con £6,432.77, su tarjeta de crédito había sido cancelada y tenía prohibido emitir cheques. Me pregunté cómo habría estado afrontando la situación los meses anteriores. ¿Tal vez con tarjetas de crédito? *Hackeé* sus cuentas de tarjetas y descubrí que, efectivamente, estaban hasta el tope. Revisé los estados de cuenta y pude confirmar que Abue sólo había estado usando las tarjetas para los gastos cotidianos como retiros en efectivo, alimentos y cosas por el estilo. Cuando volví a revisar su cuenta bancaria comprendí que no estaba sobregirada por haber gastado demasiado, sino porque sencillamente no había estado recibiendo suficiente dinero. Abue no estaba ganando lo suficiente para mantenernos.

Me sorprendí mucho. Es decir, Abue nunca había ganado montones de libras y en general nos esforzábamos bastante para que nos alcanzara lo poco que teníamos, pero, digamos que siempre habíamos logrado solucionar los problemas. Ahora, sin embargo, la situación se veía demasiado seria.

El autobús se zarandeó de repente. Abrí los ojos y me di cuenta de que acabábamos de detenernos en la parada de la escuela. Guardé toda la información de las finanzas de Abue, me hice una notita mental para solucionarlo más tarde, me apagué, tomé mi mochila y bajé del autobús.

Las instalaciones de la secundaria Crow Lane son un enorme lugar tristón que siempre parece estar a medio terminar. Siempre le están remodelando algo o tirándole alguna sección; siempre le tiran muros, o le modifican algo, y hay tantos baños portátiles por todo el lugar, que en vez de sentir que llegas a la escuela, parece que llegas a una construcción en obra negra.

En lugar de ingresar por la entrada principal, me dirigí a la calle lateral para entrar por uno de los accesos para los trabajadores. Éste me condujo a la parte trasera del edificio principal, hacia uno de los antiguos gimnasios que ya estaba en desuso, bueno, quiero decir que no lo usaban para deportes, al menos. Se suponía que lo iban a demoler varios años antes, pero por alguna razón nunca se concretó el plan. Desde que tengo memoria ha sido uno de esos sitios en los que los chicos malos van a pasar el rato, los chicos que nunca quieren que nadie se entere en dónde están ni qué están haciendo, chicos que no quieren ir a la escuela pero que tampoco pueden darse el lujo de que los atrapen en la calle.

Chicos como Davey Carr.

Davey era uno de esos alumnos que se iban de pinta de forma recurrente. Ya lo habían cachado tantas veces, que su mamá corría el riesgo de un proceso judicial y una sentencia para pasar tiempo en la cárcel. Obviamente ella no quería ir a la cárcel, y por eso, un par de meses atrás, le había dado a Davey *su* versión de lo que entendía como última advertencia. O sea, le puso una tremenda golpiza. Después de eso Davey comenzó a asistir a la escuela todas las mañanas. Iba a que le pasaran lista y luego pasaba el resto del día deambulando por lugares en los que no se suponía que debería estar. Como el viejo gimnasio.

Y por supuesto, Davey era la única razón por la que yo había ido a la escuela esa mañana. No tenía intención de pasar a recoger ningún libro. ¿Para qué? Sabía todo lo que se tiene que saber. Lo más probable es que estuviera capacitado para aprobar cualquier examen del mundo a una velocidad récord… y con los ojos cerrados. Podría ganar el *Reto Universitario* yo solito. Si quisiera, podría ganar cualquier programa de concurso de la tele, *Cuenta regresiva*, *El rival más débil*, *¿Quién quiere ser millonario?*… podría ganarlos todos.

Pero lo único que quería hacer en ese momento era encontrar a Davey Carr.

No fue nada difícil, mis iSentidos habían estado rastreando su cel toda la mañana. Ahora la señal me decía que estaba en un saloncito que se encuentra en la parte de atrás del viejo gimnasio. Ahí fue donde lo encontré. Estaba sentado en una destartalada silla de madera, fumando un cigarro y choreándose a un par de chavitos Cuervos. Los niños ponían atención a cada una de las palabras de Davey porque, obviamente, tenían la idea de que él era una especie de dios o algo así.

—Oye, Davey —dije, cuando entré al salón— ¿Cómo te va?

Los niñitos se sobresaltaron al escuchar mi voz. Hasta Davey pareció asustarse por un segundo, pero se relajó de inmediato en cuanto vio que sólo se trataba de mí.

—Bien, ¿Tom? —dijo en un tono muy casual—. ¿Qué haces aquí? Pensé que…

—Pueden irse —les dije a los niños.

Se me quedaron viendo con desprecio. A pesar de que sólo tenían como doce años, su mirada ya estaba llena de frialdad y odio.

—Vamos —les dije—, váyanse al diablo.

Voltearon a ver a Davey y él asintió. Se pararon de mala gana y salieron lo más lento que pudieron. Los vi retirarse; los estudié con detenimiento y los comparé con todos los iRecuerdos que tenía de los niños más chicos que aparecían en el video del ataque a Lucy. Pero luego estuve seguro de que ellos no habían estado ahí. Esperé hasta que salieron del salón y luego… esperé un poco más. Ambos traían sus celulares encendidos y gracias a eso supe que no se habían ido a ningún lado, sólo se habían quedado parados afuera del salón para ver qué pasaba.

—Escucha, Tom —comenzó a decir Davey.

—Diles que se larguen —le ordené.

—¿Qué?

—Los niños siguen ahí afuera. Diles que se larguen.

Davey se quedó perplejo por un momento tratando de pensar cómo era posible que yo lo supiera. Luego sólo se encogió de hombros y gritó:

—Hey, oigan... lárguense. ¡Ahora!

Alcancé a escuchar cómo murmuraban y arrastraban los pies. Luego, desde la parte de atrás del salón, se oyó:

—Disculpa, Davey, nosotros... nosotros ya nos íbamos, ¿okey?

Entonces se fueron.

Volteé hacia Davey.

—¿Sangre fresca?

—¿Qué?

Sacudí la cabeza.

—Nada, no te preocupes —lo miré—. ¿Qué tal anda tu conciencia hoy, Davey?

—¿Mi qué?

—Conciencia.

Cerré los ojos por un momento y luego los abrí de nuevo.

—Me refiero a la cualidad moral de tu propia conducta o intenciones, en conjunto con el sentimiento de obligación a no cometer un acto incorrecto.

Davey frunció el ceño.

—¿De qué estás habl...?

—Sé que estuviste ahí, Davey —respiré hondo—; y sé que tú fuiste quien aventó el iPhone por la ventana.

Su gesto se hizo más marcado.

—¿A qué te refieres?

—Vi el video.

—¿Cuál video?

Volví a respirar hondo, metí la mano en mi bolsillo y saqué mi teléfono. Oprimí el botón para reproducción de video, y al mismo tiempo, sustraje el video de mi cabeza y lo envié a mi cel. Para cuando abrí el reproductor, ya estaba ahí. Sin decir nada, oprimí *PLAY* y le pasé el teléfono a Davey. Él lo tomó, lo vio por un rato y luego, con el rostro visiblemente pálido, me lo devolvió.

—¿Ya te acordaste? —le pregunté mientras eliminaba el video y guardaba el teléfono en mi bolsillo.

Asintió con vergüenza.

—¿De dónde lo sacaste? O sea, el video.

—¿Acaso importa?

—No, supongo que no.

Lo miré.

—Dios mío, Davey, ¿cómo *pudiste*? O sea... *Dios santísimo*, ¿cómo pudiste *hacer* algo así?

—Yo no hice nada —rezongó.

—¡Estuviste ahí! Los viste hacerlo, te estabas riendo, por Dios santo. ¿Tú crees que eso es *no hacer* nada?

—Sí, bueno, ya sabes... yo sólo quería...

—Yo sé perfectamente lo que *querías* —respiré hondo y fui exhalando lentamente, tratando de controlar mi ira. Davey encendió un cigarrillo. Volví a suspirar—. Eras un buen muchacho, Davey, es decir, solías pensar por ti mismo. ¿Qué diablos te pasó?

—Nada.

—¿Creíste que era divertido lo que le estaban haciendo a Lucy?, ¿creíste que de verdad era para morirse de *risa*?

—No.

—¿Entonces en *qué* estabas pensando? ¿Pensaste que era *súper cool*?, ¿que se estaban viendo bien rudos?, ¿te hizo sentir bien?

Los ojos de Davey se oscurecieron.

—Es que tú no *sabes*.

—¿Qué?, ¿yo no sé *qué*?

Negó con la cabeza.

—Es que así son las cosas, ¿okey?

—No —le dije—, no okey.

—Ajá, bueno.

Lo volví a mirar, trataba de ver al antiguo Davey, el Davey que solía ser mi amigo.

—¿Por qué no los detuviste? —le pregunté más calmado—, ¿por qué al menos no lo *intentaste*?

—No seas estúpido —contestó—, me habrían hecho pomada, ¿no? Así como lo hicieron con Ben, o peor tal vez. Cuando te dicen que hagas algo, carajos, lo tienes que hacer.

—¿Te dijeron que tenías que estar ahí?

Se encogió de hombros.

—Estaba con ellos, ¿no? O estás con ellos o estás en su contra. No se puede elegir —dio una fumada y se me quedó viendo—. Es un mundo distinto, Tom. Cuando te metes en él, ya no queda nada más. Lo único que puedes hacer es vivirlo —bajó la mirada—. Lo siento, no debí haberte aventado el teléfono.

Lo miré lleno de incredulidad.

—¿Que tú *qué*?

—Nunca pensé que te fuera a *golpear* de verdad.

—No me importa el maldito teléfono —le grité—, ¡mierda!

Me miró sonriendo.

—Ja, pero tienes que admitir que *sí* fue muy buen tiro.

Estaba a punto de golpearlo, de verdad quería darle una paliza y quitarle la cara de estúpido que tenía. No porque estuviera sonriendo, ni siquiera porque por un momento me choreó hasta casi hacerme sentir apenado por él. Quería golpearlo por esa absoluta falta de remordimiento de lo que le habían hecho a Lucy. Es decir, ¿cómo se le ocurría siquiera *pensar* en ofrecerme disculpas sin estar genuinamente arrepentido de lo que le había pasado a ella?

Era increíble.

Sabía que tratar de razonar con él o apelar a lo mejor de su persona era una pérdida de tiempo porque, sencillamente, la mejor parte de la persona que Davey era, *ya no* existía. Y por lo mismo, yo tenía que tratarlo como si fuera nada; tenía que ignorar mi asco, enterrar la ira y sólo usarlo para conseguir lo que quería.

Lo miré y dejé que notara la frialdad en mi mirada.

—¿De quién fue la idea?, la idea de golpear a Ben, ¿a quién se le ocurrió?

Negó con la cabeza.

—No te lo voy a decir, no puedo.

—Okey —dije al mismo tiempo que sacaba el cel de mi bolsillo—. Te voy a preguntar de nuevo y si no me das la respuesta que espero, le voy a enviar este video a la policía. Y a tu mamá; y luego voy a abrir la bocota y en muy poco tiempo todo mundo se va a enterar de que tuvimos esta charla y de que también pienso conversar con la policía y…

—No eres capaz.

Oprimí algunos botones para fingir que enviaba el video. Luego marqué un número, que de hecho era el mío, y le dije:

—Última oportunidad, ¿de quién fue la idea?

—*No puedo.*

—Está bien —me encogí de hombros y dirigí toda mi atención al teléfono. Moví el pulgar como si estuviera a punto de oprimir el botón de *ENVIAR*.

—¡No! —gritó Davey—, no lo hagas por favor.

Hice una pausa pero no moví el pulgar. Lo miré.

—¿De quién fue idea?

—Mira —suspiró—, las cosas no funcionan así, ¿okey?

Volví a mover el pulgar.

—Es la verdad, Tom —dijo con presteza—, en serio, es sólo que, bueno, o sea, no es que haya alguien a cargo o algo así. No —negó con la cabeza—, todas estas cosas que ves sobre las pandillas en televisión, en los documentales del maldito Ross Kemp, todo eso es pura mierda. Las cosas no son así. No hay *líderes* ni reglas ni nada. Son sólo un montón de chicos deambulando por ahí. Sólo *hacemos* cosas, ¿sabes?

—Está bien —le dije—, pero alguno de ustedes debe haber decidido golpear a Ben. O sea, debe existir *algún* tipo de jerarquía.

—¿De jergaqué?

—Ya sabes de qué estoy hablando. Así como sucedió hace rato con los niños que estaban aquí. Son Cuervos, ¿verdad?

—Sí, Cuervitos, ajá.

—¿Y hacen lo que les dices?

—Ajá.

—Y también debe haber otros Cuervos que te dicen *a ti* qué hacer y tú los obedeces.

—Sí, supongo que sí.

—Bien, entonces, ¿quién fue? Es decir, me acabas de confesar que *si te dicen que hagas algo, tú vas y cumples la maldita orden.* Entonces, ¿quién les dijo, a ti y al resto de la pandilla, que fueran a golpear a Ben?

Davey titubeó por un momento, asustado por la idea de soltar nombres.

Lo miré.

—¿Fue O'Neil?, ¿Firman?, ¿fue Adebajo?

No dijo nada.

—Tengo el video, Davey —le recordé.

—Mierda —suspiró y negó con la cabeza—, si se enteran de que hablé contigo, ya me jodí.

—Bueno, así es —le dije—, pero en ese caso al menos existe la posibilidad de que no se enteren. En cambio, si *no* me dices *a mí* lo que quiero, entonces, sí ten por seguro que te vas a joder.

Lo pensó por un momento y tras suspirar una vez más, comenzó a hablar con reticencia.

—Principalmente son Yoyo y Cutz. Ellos son los que, vaya, no sé… los que echan a andar las cosas.

—¿O sea, O'Neil y Adebajo?

—Ajá. Ellos tienen unos hermanos, como unos Mayores, ¿entiendes?

—¿Mayores?

—Sí, unos chicos más grandes —me explicó—. Los grandotes, pues, ya sabes. Son los compradores.

—¿Compradores?

—Ajá.

—¿Te refieres a que trafican drogas?

Davey encogió los hombros.

—Más o menos, es decir, los niños más chicos son los que hacen la mayor parte de los negocios en la calle. Los Mayores ni se acercan, o sea, ni siquiera *ven* el mecanismo. Ellos sólo se encargan de la parte económica del negocio, o sea, de los asuntos de la lana.

—Bien, y entonces, ¿qué tiene que ver eso con el hecho de que O'Neil y Adebajo golpearan a Ben y violaran a Lucy?

Davey volvió a encogerse de hombros.

—Pues no, en realidad no tiene nada que ver. O sea, eso es más bien como una cuestión de respeto o algo así. De poder, ¿entiendes?

—No —dije con frialdad—, no entiendo.

—Es que no puedes mostrar ninguna debilidad, ¿de acuerdo? Si quieres *ser* alguien, si quieres que te respeten, no puedes tolerar las estupideces de nadie —me miró—. Es muy sencillo en realidad. A Ben le dieron una paliza porque desobedeció a Yoyo. Yoyo le había dicho que tenía que ir a apuñalar a un tipo y Ben se negó a hacerlo. Si Yoyo no le hubiera dado su merecido, se habría visto débil. Todo mundo se habría enterado y eso hubiera acabado con las posibilidades de Yo de convertirse en alguien como su hermano.

—¿Y Lucy? —dije en voz baja—. ¿Cuál fue el sencillo *razonamiento* con el que justificaron arruinarle la vida?

Davey bajó la mirada.

—Es sólo lo que ellos *hacen*, Tom, no sé. Supongo que fue parte de la lección de Ben, de lastimarlo, ¿entiendes? Pero bueno, en general es sólo una cuestión de poder. Lo hacen porque *pueden*, porque saben que se van a salir con la suya. —De nuevo se encogió de hombros—. Es sólo lo que hacen.

—¿Y tú? —le pregunté fríamente—. ¿Tú también querías hacerlo?

Me miró.

—Traté de ayudarla, Tom, o sea, después. Le ayudé a recoger su ropa.

—¿Le ayudaste a recoger su ropa?

—Ajá.

—Bueno, eso fue increíblemente sensible de tu parte, Davey. Estoy seguro de que fue algo que Lucy siempre va a recordar. ¿Te dio las gracias antes de irte?

—Jódete, Tom —dijo en voz baja—, no estuviste ahí, no sabes cómo fue.

Me quedé callado por un momento. Ya me sentía enfermo de hablar con Davey. Enfermo de toda esa estupidez sobre el poder y el respeto y la debilidad y la mierda. No tenía que ver con nada.

Inhale y trate de olvidar cómo me sentía. Luego le dije a Davey:

—¿Cuáles son sus nombres?, los nombres de los hermanos.

—¿Qué?

—Los hermanos de O'Neil y de Adebajo. ¿Cómo se llaman sus hermanos?

—¿Para qué quieres saber?

Sólo me le quedé viendo.

Vaciló durante unos instantes; su instinto le decía que no me dijera nada, pero casi de inmediato se dio cuenta de que ya era demasiado tarde para callarse la boca.

—Troy O'Neil y Jermaine Adebajo —dijo.

—Muy bien. ¿Y a quién le responden?

—¿Qué?

—Los hermanos y los demás. Los chavos más grandes, los Mayores o como les llamen. ¿Quién les dice a ellos lo que tienen que hacer?

Davey palideció de inmediato.

—No —balbuceó—, o sea, no sé.

—Sólo dime —respiré hondo—, dime un nombre más y me voy.

—No, no puedo meterme con él.

—¿Con quién?

—Se va a enterar, siempre se entera.

Volví a mostrarle el teléfono.

—Es tu decisión, Davey, o me das un nombre o envío el video.

Ahora sí se veía muy preocupado, no dejaba de parpadear y de morderse los labios. Me daba cuenta de que realmente estaba evaluando sus opciones, lo cual me hizo pensar que, quien quiera que fuera, ese tipo al que Davey le temía tanto, tenía que ser *en serio* aterrador.

Finalmente, Davey me miró a los ojos y dijo:

—Algunos le llaman el Diablo.

—¿Ah sí?, ¿y por qué?, ¿tiene cuernos o algo así?

Davey negó con la cabeza.

—No es gracioso, o sea, es un tipo muuuy malo *de verdad*. Yoyo y los demás no le llegan *ni a los talones*. Mira, si crees que lo que les sucedió a Ben y a Lucy fue malo...

—¡Davey! Sólo dime el maldito nombre.

—Ellman —susurró—, se llama Howard Ellman.

1010

*El relativismo moral es la noción de que los estándares éticos,
la moralidad y la jerarquía de valores se basan en elementos
culturales y, por lo tanto, están sujetos a la elección personal
del individuo. Todos podemos decidir qué es lo correcto para
nosotros. Tú puedes decidir qué es lo correcto para ti y yo
puedo decidir lo que es correcto para mí. Lo correcto y lo incorrecto no existe de una forma absoluta.*

Cuando salí del viejo gimnasio seguía lloviendo y no había mucha
gente por ahí. Pero cuando caminé por la parte trasera del edificio
principal para dirigirme al acceso de los trabajadores, alcancé a ver
que en las instalaciones de ciencias estaba sucediendo algo. Dos chicos y dos chicas estaban discutiendo; se gritaban, se insultaban y
también se daban de empujones. Reconocí a tres de ellos: Jayden
Carroll, Carl Patrick y Nadia Moore. Luego adiviné que la otra chica
era Leona, la amiga de Jayden. Por la forma en que Nadia agitaba el
celular y se lo restregaba a Leona en la cara, pude asumir que la discusión era producto del mensaje que yo había enviado la noche anterior, con el que había querido hacer pensar a Nadia que Carl también
estaba saliendo con Leona.

Me recargué detrás de una columna y vi cómo subía de tono la
pelea. Los gritos y los insultos se intensificaron, los aventones y los
alardeos también se tornaron más agresivos, y luego vi a Nadia ja-
lonear a Leona y golpearle la cara con el teléfono. Después de eso se
fue calmando la situación. Jayden sujetó a Nadia y la aventó contra
la pared. Ella le respondió enterrándole las uñas en el rostro. Jayden
gritaba del dolor y trataba de darle un puñetazo a Nadia; en ese momento me di cuenta de que Carl Patrick tenía un cuchillo en la mano.

93

Lo vi atacar a Jayden; le jaló el brazo con una mano y luego como que levantó el otro brazo varias veces. Jayden trastabilló yéndose hacia atrás y se llevó las manos al estómago antes de caer de rodillas y de desplomarse lentamente hasta el suelo.

Y eso fue todo.

Ahí terminó el asunto.

Carl Patrick y las chicas realmente no hicieron nada, sólo se quedaron de pie alrededor de Jayden mirándolo, mirándose entre ellos. Hasta vi a Patrick encogerse de hombros como diciendo, *no me miren así, fue su culpa*...

Pero no fue su culpa, por supuesto.

Fue *mi* culpa.

Desde mi cabeza marqué el número 999 de emergencia. Hice una llamada anónima solicitando una ambulancia y luego caminé de vuelta hacia el otro lado del edificio principal para entrar por el acceso de los trabajadores.

Yo sabía que no era mi culpa *en realidad*, que tal vez lo pude haber causado al enviarle el mensaje a Nadia, pero eso era todo. Yo no le enterré el cuchillo a Jayden en el vientre, ¿verdad? Era algo de lo que no podía sentirme culpable.

¿O sí?

Volví a reproducir la escena en mi cabeza y luego envié el video de forma anónima al teléfono celular del Sargento Johnson. Lo acompañé de un mensaje en el que se identificaba a la persona que había empuñado el cuchillo como Carl Patrick. Luego seguí caminando hacia Crow Town y traté de olvidarlo todo. Traté de decirme a mí mismo que no era algo relevante, que por estos rumbos a cada rato acuchillan gente. Que no se puede hacer nada al respecto, que así son las cosas.

Pero las frases sonaban bastante huecas en mi cabeza, eran el tipo de frases que usaría Davey: *así son las cosas, es lo que hacen*, frases que no significan nada. Y tal vez, de cierta forma, ésa es la razón por la que, curiosamente, las usamos. Porque son frases vacías para acciones vacías.

Entonces dejé de pensar en eso.

Lucy estaba entrando a su página de Bebo.

Mientras esperaba que Lucy leyera mi mensaje (o sea, el mensaje de iBoy), marqué el número de Abue en mi cabeza. Cuando comenzó a sonar, me di cuenta de que me iba a ver un poco extraño si seguía caminando y hablando sin un teléfono a la vista o sin, por lo menos, uno de esos manos libres tipo Bluetooth que se cuelgan en la oreja. Así que saqué de inmediato mi teléfono y fingí que hablaba por él.

—¿Tommy? —respondió Abue—, ¿en dónde estás? Ya te tardaste.

—Sí, lo siento, Abue —respondí—, es que me encontré al señor Smith, ya sabes, mi maestro de Inglés. Comenzó a platicarme cosas y no me podía zafar. Ya voy de regreso.

—Más te vale. ¿En dónde estás?

—Aquí cruzando el estacionamiento. Llego en cinco minutos.

—Está bien, ya no te atores por ahí.

—Te veo en cinco, Abue.

Lucy había respondido a mi mensaje. *iBoy* —había escrito— *no puedo hablar contigo. por favor no me escribas de nuevo.*

Y supuse que, si ella lo pedía, era lo justo.

Justo antes de llegar a Crow Town me desvié con rapidez por Mill Lane, una callejuela que conduce a la parte antigua de la zona industrial en desuso. No hay gran cosa ahí, sólo bodegas, fábricas abandonadas y enormes baldíos. Sin embargo, es el único lugar que conozco por aquí al que no llega la señal para celulares. Quería verificar lo que sucedía con el iEquipo de mi cabeza en sitios sin recepción.

La antigua zona industrial no es muy agradable. Es aburrida, plana, sin vida, y además tiene ese raro y sombrío silencio. De hecho, incluso cuando el silencio no es del todo absoluto, al lugar lo envuelve una especie de frío y vacuo zumbido. A pesar de que ya no está en uso, siempre pasa algo por ahí, en especial por la noche. Muchos de los chicos de por aquí se pasean en las viejas bodegas y en las instalaciones de las fábricas. Van ahí a hacer lo que acostumbran: tomar drogas, tener sexo, parrandear, involucrarse en peleas. A veces también se llega uno a enterar de asuntos un poco más densos, como encuentros entre pandillas, balaceras, acuchillamientos y cadáveres.

Así que no, no era el lugar más agradable del mundo y no me gustaba nada estar ahí, pero continué caminando con mi iCerebro encendido hasta que llegué a un punto en el que el receptor de las señales se desvaneció a cero. Y entonces, me detuve.

No había señal.

No había recepción.

No había iBoy.

Miré alrededor. Atrás de mí había un sector de viejas fábricas. Altas estructuras de concreto con chimeneas de ladrillo aún más elevadas; y a cada lado del camino, nada, excepto vastas extensiones de baldío. Luego pude ver que como unos treinta metros más adelante había un complejo de naves industriales y bodegas.

Traté de buscar en el interior de mi cabeza, traté de captar una señal, alguna red, lo que fuera. Pero no había nada.

Mi iCabeza estaba vacía.

La iPiel no funcionaba.

El sistema eléctrico, desconectado.

Caminé de vuelta por donde había llegado y después de avanzar más o menos unos diez metros, todo volvió a encenderse.

Me detuve y miré alrededor. No había nadie a la vista. No había autos, ni bicicletas. Nada.

Me bajé de la acera y crucé el baldío hasta llegar a una zona en donde la tierra estaba totalmente ennegrecida. Era lo que quedaba de una fogata. Me agaché y recogí algunas latas quemadas de entre las cenizas. Luego las coloqué sobre una enorme placa de concreto reforzado que estaba por ahí cerca.

Volví a mirar alrededor para asegurarme de que estaba solo, y entonces, experimenté con mis habilidades para arrojar objetos a distancia. Para comenzar, primero toqué una de las latas y le di una descarga, con lo que la hice volar de la placa. Luego traté de controlar el poder. Lo incrementé, lo disminuí, me alejé de las latas para ver si les podía disparar la descarga a distancia.

Ya prácticamente había aprendido que *podía* controlar el poder a pesar de que el nivel del mismo no era demasiado grande y de que la distancia para golpear objetos era de, máximo, un metro. Y entonces me tuve que detener porque vi que un coche se acercaba a mí lentamente por el camino.

Volví a cruzar para llegar al pavimento al mismo tiempo que el coche se detenía a un lado del camino. La ventanilla del frente comenzó a bajar y por ahí se asomó un hombre con muy mala pinta.

—Oye, muchacho, ¿esto es Crow Lane?

Negué con la cabeza y señalé el conjunto habitacional.

—Es allá.

Miró hacia donde yo había señalado y luego volvió a verme.

—¿Y Baldwin House?

—Es el segundo edificio de aquí para allá.

Asintió con la cabeza pero no dijo nada. Sólo subió la ventanilla, le dio vuelta al coche y se fue.

—De nada —murmuré mientras veía cómo se alejaba.

Cuando llegué a casa Abue estaba trabajando, tecleaba y tecleaba sin cesar. Después de saludarnos y de que ella fingiera estar un poco molesta porque me había tardado más de lo que le había prometido, me fui a mi cuarto y la dejé continuar con su trabajo.

No sabía qué iba a hacer con toda la información que había conseguido sobre O'Neil y Adebajo, y sobre todo lo demás, o sea, el ataque a Lucy y a Ben, las cuestiones acerca de las pandillas, los Mayores, Howard Ellman. Para empezar, ni siquiera sabía para qué la había ido a conseguir. Pero al sentarme ahí junto a la ventana y contemplar la sordidez del lluvioso día sobre el conjunto de edificios, supe, en el fondo de mi corazón, que sólo tenía dos opciones: podía quedarme sin hacer nada, olvidar el asunto y tratar de continuar con mi vida, o podía esforzarme lo más posible por hacer algo al respecto.

Tal vez si hubiera seguido siendo mi antiguo yo, el perfectamente ordinario Tom Harvey sin superpoderes de iPhone, habría aceptado el hecho de que no quedaba nada por hacer. Porque lo único que podría haber hecho ese Tom Harvey habría sido entregar a la policía la información que había logrado reunir. Pero al final, a pesar de todo el cuidado o inteligencia con los que hubiera recabado los datos, el resultado habría sido el mismo: los Cuervos y la mayor parte de los habitantes de Crow Town se habrían puesto en contra de Lucy y su familia, y habrían logrado que sus vidas fueran todavía más espantosas de lo que ya eran.

Y en ese caso, tal vez lo único que le habría quedado por hacer al ordinario Tom Harvey habría sido actuar en lo absoluto.

Pero, me gustara o no, yo ya no era el ordinario Tom Harvey. Ahora era iBoy y tenía la capacidad de hacer cosas que antes no podía. Había algo dentro de mí, una parte que ni siquiera sabía si me *gustaba*, y esa parte me hacía sentir que tenía la obligación de tratar de aprovechar mis habilidades al máximo y hacer algo útil con ellas. Fuera lo que fuera ese sentimiento que albergaba, yo sabía que no podría negarme.

Sólo pensé que si el sentimiento hubiera resultado un poquito más útil, las cosas habrían ido mejor. Es decir, estaba muy bien el hecho de que la conciencia me dijera que *tenía* que hacer algo, sólo que las cosas habrían sido mucho más sencillas si me hubiera dicho *qué* hacer.

Pero no, no iba a recibir ayuda para eso, y además, mi iCerebro tampoco podría auxiliarme. Porque decidir *qué* debía hacer era una labor que tenía que realizar con mi cerebro normal.

Así que sólo cerré los ojos y me quedé sentado, pensando, preguntándome, escuchando la lluvia caer.

Como dos horas después, Abue tocó a mi puerta y me despertó para decirme que iba a salir un ratito de compras. Yo no había logrado pensar gran cosa y lo poco que *sí* había logrado resumir no era muy útil ni relevante. De hecho, cuando Abue estaba parada en la puerta esperando que respondiera su pregunta —pregunta que ni siquiera había escuchado—, me di cuenta de que ni siquiera recordaba en qué había estado pensando antes de quedarme dormido.

—¿Tommy? —dijo Abue.

—¿Quieres algo de la tienda?

—No, no, gracias.

—Está bien, entonces no me tardo —dijo.

—¿Tienes suficiente dinero? —me escuché decir.

—¿Qué?

Encogí los hombros.

—Nada, sólo quise decir, ya sabes —me tallé los ojos y sonreí cansado—. Lo siento, es que todavía estoy medio dormido.

—Bien, pues tal vez deberías tratar de volver a dormirte *por completo*.

—Ajá.

—En la cama, no en el sillón.

—Está bien.

—De acuerdo, entonces te veo al rato.

—Sip, te veo luego, Abue.

Me quedaba muy claro que saber toda esa información no era lo mismo que entenderla. Sabía que tener acceso a cantidades enormes de datos no me había convertido de repente en un genio filosófico o algo así. Sin embargo, aquella tarde, cuando estaba sentado en mi cuarto con los ojos cerrados, iEscudriñando entre lo que podía buscar, tratando de encontrar la manera de arreglar la situación económica de Abue, continué recibiendo ciberflashazos relacionados con cuestiones morales. Eran foros de discusión, sitios de filosofía, fragmentos de libros y otras cosas así. Entonces comencé a entender que el concepto de lo correcto y lo incorrecto no era tan claro como yo lo había imaginado. Cuando se trata de la moralidad, la verdad es que *no* existen muchas leyes naturales al respecto. No hay situaciones que sean correctas o incorrectas de una manera *definitiva*. Las cosas no son nada más blancas o negras; a todo lo cubre una especie de color marrón-gris cochinón. La especie de color mierdoso que se produce cuando mezclas todos los colores que vienen en una caja de pinturas.

Claro que también había empezado a comprender que si quieres hacer algo que crees, o que incluso *sabes* que es incorrecto, existe toda una serie de acciones que puedes realizar para convencerte de que *no* lo es. En ese sentido, lo primero y más sencillo que puedes hacer es fingir que la noción de lo incorrecto ni siquiera existe para empezar.

Bueno, de cualquier forma, para ir al grano diré que llegué a entender algo fundamental. Entendí que las capacidades que seguían creciendo dentro de mi cabeza, me ofrecían opciones inconmensurables para resolver los problemas de dinero de Abue. Pero eso, a su vez, significaba que cualquier opción que eligiera implicaría, inevitablemente, tomar el dinero de alguien más, dinero que no me pertenecía. Y a pesar de lo mucho que traté de convencerme de que eso estaba okey, en el fondo sabía que no era así.

Por ejemplo, podría *hackear* las cuentas y las bases de datos de todos los editores de Abue. Así, con la mano en la cintura, podría cambiar las cifras de ventas, inventar que los libros de Abue habían vendido mucho más, y generar un montón de dinero para ella. Dinero que, en realidad, no estaba ahí. O, viéndome un poco más temerario, podría *hackear* la cuenta bancaria de alguna persona súper rica, alguien que no extrañara algunas mugres libras, alguien como Bill Gates, Bono o J. K. Rowling; podría entrar a la cuenta, sacar dinero de ella y ya.

Porque, dicho llanamente, tenía la capacidad de robarle todo el dinero que quisiera a quien se me diera la gana. Lo cual, al principio, sonaba muy emocionante porque, bueno, podría convertirme en millonario, en billonario o hasta en infinitomillonario. Pero después comprendí que, en realidad, era algo que no significaba gran cosa. Porque, ¿qué iba a hacer con un billón de libras? Y para ser más precisos, ¿qué iba a hacer para explicar cómo lo había conseguido?

Lo que hice al final fue, bueno, antes que nada, instalé un programa de algoritmos.

En matemáticas, computación, lingüística y otras materias relacionadas, el algoritmo es una secuencia de instrucciones finitas que se emplean para el cálculo y el procesamiento de datos. Dado un estado inicial, el algoritmo provee una lista de instrucciones bien definidas para completar una tarea. A través del seguimiento de los pasos sucesivos de la lista, se llega al estado final.

Así que, básicamente, programé el algoritmo para que verificara todas las cuentas bancarias del mundo, que las organizara por cantidades y que retirara una libra de cada una de las primeras 15,000. Luego, el total de £15,000 fue depositado de forma electrónica (y anónima por completo), en la cuenta de Abue como un depósito único. No pude encontrar la forma de justificar el depósito, es decir no pude inventar un depositante legítimo, pero decidí dejar eso para después. Mientras tanto, cancelé los citatorios por falta de pago de impuestos, con el resto de las £15,000, pagué lo que debía y puse al corriente la renta.

Sí, eso estaba mal.

Era robo.

Era fraude.

Era incorrecto.

Pero no me sentía *mal* al respecto.

Después de las operaciones me dormí un rato (la moralidad y los algoritmos son extenuantes). Cuando desperté, Abue ya había regresado. Había comprado algo de comida; cenamos unos sándwiches tostados juntos.

Cuando ella volvió a su libro, yo fui otro rato a estar en mi cuarto. Ahí escaneé las ondas radiales en espera de que nuevas llamadas de celular me indicaran qué se traían entre manos los Cuervos. Pero no escuché nada interesante en particular. Casi todo era: *¿En dónde estás?*, *¿qué haces?*, *¿ya te enteraste de lo de Trick y Jace?*

Trick era Carl Patrick, y asumí que Jace era Jayden Carroll. Por medio de los registros de la computadora del hospital, me enteré de que Carroll había recibido tres puñaladas en el estómago, que ninguna de ellas lo habían puesto en peligro de muerte, que le realizaron una cirugía y que esperaban que se recuperara sin problemas.

Carl Patrick había sido arrestado.

A las 19:15:59 salí del departamento y subí al piso treinta a ver a Lucy. No recuerdo cómo me sentía ni lo que estaba pensando en ese momento, pero, fuera lo que fuera, cuando se abrieron las puertas del ascensor y vi a un grupo de chicos en el corredor, afuera de su departamento, sentí que la cabeza y el corazón se me vaciaban de repente.

Había unos seis o siete. A pesar de que todos tenían puestas sus capuchas al estilo Cuervo, pude reconocer a varios: Eugene O'Neil, DeWayne Firman y Nathan Craig. Entre los que no reconocí había uno con una lata de pintura en spray y estaba escribiendo algo en la pared. DeWayne Firman estaba agachado y gritando algo por la ranura del buzón de la puerta de Lucy. Eugene O'Neil nada más estaba de pie; era obvio que él estaba a cargo. Estaba en su plan de tipo rudo y maldito como el diablo. Cuando se abrieron las puertas del ascensor, me miró y una espantosa sonrisa le apareció en el rostro.

Mientras cerraba las puertas del ascensor y oprimía el botón del piso veintinueve, alcancé a verlo sacudir la cabeza en negación y sonreírme. Se burlaba de lo que, según él, era cobardía, debilidad pura.

Pero no me importó.

No sonreiría por mucho tiempo.

Salí en el piso veintinueve y me dirigí arriba por las escaleras. Me puse la capucha de la chamarra y mi iPiel comenzó a resplandecer.

1011

Yo podría ser un soldado,
enamorándome,
yo podría ser un soldado,
yo podría ser feliz

Shame, "Acércate a mí"

Nunca antes había sentido la cantidad de rabia que me invadía en el momento que empuje la puerta de las escaleras y caminé por el corredor hacia O'Neil y los otros. Era desgastante, brutal y despiadada; sentía como si dentro de mí hubiera un volcán, como si fuera una fuerza de la naturaleza preparándose para hacer erupción. Pero al mismo tiempo, me sentía peculiarmente tranquilo y bajo control.

Tenía el control sobre mi falta de control.

Cuando la puerta de las escaleras se cerró detrás de mí, todos los Cuervos dejaron de hacer lo que estaban haciendo y voltearon a verme. Me movía con rapidez pero sin correr. Iba marchando sobre el corredor hacia ellos; todos mis sentidos estaban alerta, mis ojos lo observaban todo. Vi sus rostros conmocionados cuando notaron mi presencia: una encapuchada figura que resplandecía y titilaba. Dos de ellos corrieron de inmediato y ni siquiera se tomaron la molestia de voltear, sólo se dieron la vuelta y se apresuraron a llegar al ascensor.

Los dejé ir.

O'Neil, Firman y Craig retrocedieron unos pasos y dejaron frente a ellos al chico de la pintura en aerosol. Él se me quedó viendo con los ojos bien abiertos, y yo alcancé a leer las palabras que había pintado en la pared del departamento de Lucy: *perra, puta*. Luego, antes de

103

siquiera darme cuenta de lo que hacía, le arrebaté la lata y comencé a rociarle los ojos con la pintura. Gritó y trató de cubrirse los ojos pero le di una patada en los testículos y lo aventé al piso, y cuando se quitó las manos de la cara para defender su entrepierna, le rocié todavía más pintura.

Los otros tres ya se me venían encima; llegaron por atrás para tratar de separarme del chico del aerosol, pero antes de que siquiera pudieran tocarme, una sacudida de energía recorrió mi cuerpo y de pronto escuché un sonido agudo, como un crujido y los gritos de dolor de los tres Cuervos electrocutados. Cuando volteé para enfrentarlos, vi cómo se alejaban tambaleantes, tratando de sacudirse el dolor que sentían en las manos. Y entonces noté que me miraban fijamente con un miedo que me parecía despreciable.

Escuché que el niño del aerosol se ponía de pie detrás de mí. Levanté el pie y pateé hacia atrás; alcancé a darle directo en la cara, y entonces, sólo para asegurarme de que no me daría más problemas, giré con rapidez y con mi dedo toqué su cabeza batida de pintura. La descarga que le di fue suficiente para que el cuello diera un fuerte tirón hacia atrás. Luego, cuando se arrastraba por el corredor gimoteando y lamentándose, alcancé a ver que le había dejado una quemadura del tamaño de mi dedo en la cabeza.

Volteé hacia los otros tres. Firman y Craig lucían como si ya hubieran tenido suficiente, de hecho, ya se estaban retirando hacia el ascensor pegados a la pared. Sin embargo, ninguno de ellos quería ser el primero en correr; O'Neil todavía estaba tratando de resistir el ataque, pero cuando me acerqué a él, Firman negó con la cabeza y murmuró:

—A la fregada.

Entonces dio la vuelta y corrió hacia el ascensor. Craig no se tardó mucho en seguirlo.

Sólo quedábamos O'Neil y yo.

Se me quedó viendo por un segundo mientras se debatía entre correr y pelear; entonces, con un movimiento de cuello como de tipo duro, tomó una decisión. Se metió la mano al bolsillo de los pants y sacó un cuchillo. No era gran cosa, sólo un cuchillo anchito de cocina, con un filo de no más de diez centímetros. A pesar de eso se veía bastante repugnante y me hizo sentir un poco atemorizado.

Pero la sensación no duró mucho.

Tenía fe en mis iPoderes.

Le sonreí a O'Neil y me acerqué a él. Levanté las manos para ofrecerle mi desprotegido torso. El cuchillo temblaba en su mano.

—Vamos —le dije—, úsalo.

Titubeó, tragó saliva y se me quedó viendo.

Me acerqué más.

—¿Qué pasa? —le pregunté—, te ves como si te hubieras cagado.

Detecté la frialdad en sus ojos; me embistió con el cuchillo apuntando hacia mi vientre. Me estremecí un poco pero sabía que estaba a salvo. Mi escudo de fuerza estaba encendido y cuando el cuchillo chocó con él, salieron chispas. O'Neil soltó un alarido y dejó caer el cuchillo al suelo. Vi hacia abajo: el cuchillo se estaba quemando sin flamas y el mango de plástico se había derretido. Miré a O'Neil, agitaba la mano y le estaba soplando a sus dedos. Tenía el rostro desencajado por el dolor.

Me moví alrededor y me coloqué entre él y el ascensor. Lo único que le quedaba por hacer era caminar por el corredor hacia el fondo y llegar a las escaleras. Me acerqué más y él retrocedió.

—¿Qué demonios? —preguntó—, ¿quién demonios er…?

—Cállate —le dije—, empieza a caminar por el corredor.

—¿Qué?

Estiré mi mano hacia él y eso lo hizo retroceder.

—Que te muevas —dije—, por el corredor.

Caminó de espaldas hasta el fondo sin quitarme los ojos de encima y se detuvo en el otro extremo.

—Abre la ventana —le dije.

—¿Para qué?

—Sólo hazlo.

Se volteó a la ventana que estaba al final del corredor, levantó el pestillo y la abrió todo lo que pudo. No fue mucho porque todas las ventanas de los edificios tienen un sistema de seguridad que impide que se abran por completo. Eso es para evitar que la gente salte... o que arroje a alguien más por ahí.

—Quítate —le dije a O'Neil.

Cuando se hizo para atrás, me acerqué, sujeté los seguros y les inyecté una descarga eléctrica. Los remaches se botaron y pude sacar de un jalón los seguros. Cuando levanté el marco de la ventana, se pudo abrir por completo esta vez.

—Mierda, hombre —escuché murmurar a O'Neil—, ¿qué estás *haciendo*?

Lo agarré antes de que pudiera escapar. Con una mano sujeté su garganta y le di una descarga que fue suficiente para que dejara de forcejear. También fue suficiente para que se callara. Lo único que pudo decir cuando comencé a pasar su cabeza y su cuerpo a través de la ventana abierta, fue:

—Nnnng, nnng, nnng...

No sé qué tan lejos habría llegado si Lucy no hubiera aparecido de repente en su puerta gritándome que me detuviera. Creo que *no* habría empujado a O'Neil por la ventana porque yo no soy así. Creo que sólo estaba tratando de asustarlo, pero bueno, nunca lo sabré con seguridad. Porque en ese momento escuché la voz de Lucy diciendo: "¡No!, ¡no lo hagas!", y entonces toda la frialdad y la brutalidad de mi ira desaparecieron de repente, y por un momento no supe quién o qué era.

Miré al fondo del corredor y la vi. Estaba de pie afuera de su puerta. Ben estaba detrás de ella. En sus ojos pude notar una preocupación genuina: en verdad *no* quería que empujara a O'Neil por la ventana, y yo, no podía entenderlo. O'Neil la había *violado*, le había hecho la peor cosa imaginable, ¿cómo era posible que *no* quisiera que lo matara?

—Pero *tú dijiste*... —me escuché decir.

Lucy frunció el ceño.

—¿Qué?

—Dijiste que querías lastimarlos, que querías matarlos… dijiste que querías que sufrieran.

Sacudió la cabeza sin cambiar su gesto. No estaba seguro si con eso me quería decir que no me había escuchado o que sí lo había hecho, pero no podía entender lo que le estaba diciendo.

Mientras sucedía todo aquello, seguramente aflojé un poco mis manos porque de pronto me di cuenta de que ya no estaba sujetando a O'Neil y que se trataba de alejar de mí todo tembloroso. Tenía las manos en el cuello y se dirigía a la puerta de las escaleras.

No lo perseguí.

La ira se había terminado, me sentía vacío, exhausto, casi sin vida. Me preguntaba si no habría usado demasiado poder. Cerré los ojos por un momento y respiré hondo varias veces. Pude escuchar cómo O'Neil bajaba corriendo por las escaleras. Cuando abrí los ojos de nuevo y vi a Lucy, seguía ahí, mirándome. Al encontrarme con su mirada al otro lado del corredor, de pronto vi un instante repentino de comprensión. Lucy recordó de dónde habían salido mis palabras: *Dijiste que querías lastimarlos, que querías matarlos… dijiste que querías que sufrieran.* Comprendió que las palabras provenían de su blog en Bebo. ¿Y quién era la única persona que lo había leído?

Sus ojos y su boca se abrieron, vi cómo se movieron sus labios cuando susurró para sí misma: "iBoy".

Decidí irme.

Cuando crucé la puerta de las escaleras y me dirigí hacia abajo, alcancé a escuchar los pasos distantes de O'Neil y el eco que producían en los pisos de abajo. Ya no iba corriendo pero seguía moviéndose a gran velocidad. Entré a mi cabeza y seleccioné el video de los últimos minutos, luego me incliné sobre el pasamanos, vi la mareante caída del hueco de la escalera y dirigí mi atención al teléfono de O'Neil. Le envié el video a su número y, al mismo tiempo, grité su nombre.

—¡Oye, Eugene!

Sus pasos dejaron de escucharse y, al mismo tiempo, escuché el eco de mi voz que retumbaba en el cubo de metal y concreto de las escaleras. Luego, sólo se oyó la música del *ringtone*: *In Da Club* de Fiddy.

—¡Contesta! —grité.

Hubo una pausa y luego el *ringtone* dejó de sonar. Le di a O'Neil unos momentos para que abriera el video y viera el contenido: las imágenes de él cuando trató de acuchillarme y el momento en que lo sujeté de la garganta y casi lo aviento por la ventana. Luego volví a llamarlo.

—¿Lo tienes?

Hubo otra pausa.

—Sí.

Su voz era una mezcla de preocupación y desconcierto.

—Si te vuelves a acercar a Lucy otra vez —le grité—, ese video va a aparecer en YouTube. ¿Escuchaste?

Nada. Silencio.

—¿Me ESCUCHASTE? —grité.

—Sí, sí, ya escuché, pero, ¿cómo demonios…?

—Lo voy a subir a YouTube y se lo voy a enviar a toda la gente que te conoce. A los Cuervos, a los FGH, *a todos*, ¿entiendes?

—Sí, pero…

—Sin preguntas. Tienes tres segundos para largarte, después de eso, voy a ir detrás de ti. —Comencé a contar—: Uno, dos…

Él corrió.

Esperé hasta que el traqueteo de O'Neil me indicó que ya había bajado varios pisos más. Apagué mi iPiel y bajé hasta el piso veintitrés.

1100

Para ponerse un disfraz brillante y luchar contra el mal no se
necesita estar loco, pero sí resulta útil.

http://io9.com/5228906/top-10-greatest-mentally-ill-superheroes

Cuando llegué al departamento, Abue venía saliendo del baño.

—¿No ibas a ver a Lucy? —me preguntó.

—Ajá, sí iba… voy a subir. Es sólo que se me olvidó algo.

Abue me miró en espera de que le dijera qué se me había olvidado.

—Mi teléfono —dije—; lo dejé en mi cuarto.

—Ah, bien —dijo—. ¿Qué tienes en las manos?

—¿Cómo dices?

—Tienes pintura roja en las manos.

Las miré y traté de pensar rápido en una explicación.

—Ah sí, es que había grafiti en la puerta de Lucy. Ya sabes, algo despreciable. Traté de borrarlo.

Abue suspiró y negó con la cabeza.

—¿Por qué no pueden sólo dejarla en paz? Es decir, sólo Dios sabe por lo que ha atravesado esa niña.

Encogí los hombros.

—A eso es a lo que se dedican, Abue.

—Lo sé —dijo y volvió a suspirar—, es sólo que, bueno, ya sabes.

—Sip.

—Me miró.

—¿A Lucy no le incomoda que vayas a verla?

—Creo que no. Es decir, *dijo* que no había problema; además creo que le sirvió de *algo* que fuera. —Me encogí de hombros—. Pero no sé para qué.

Abue sonrió.

—Le gustas, siempre le has gustado. ¿Te acuerdas cuando te pidió que te casaras con ella?

—¿*Casarme* con ella?

Abue asintió.

—Fue hace muchísimo tiempo, creo que tenían unos seis o siete años. Estaban sentados en el piso de la sala jugando con el Lego o algo así. Entonces ella volteó hacia ti y te preguntó: "¿Te casarás conmigo cuando sea grande?".

—¿En serio?, ¿y qué le contesté?

Abue lo pensó por un momento y luego volvió a sonreír.

—Creo que no le dijiste nada, sólo te pusiste a llorar.

Me reí.

—Ja, sí, suena típico de mí. Siempre tan hábil con las chicas.

Abue retomó su trabajo y yo fui a mi cuarto y fingí que buscaba mi teléfono. Todavía me sentía bastante agotado. Aproveché para sentarme en la orilla de la cama un minuto y recargar baterías antes de volver a subir al departamento de Lucy.

Cuando estaba sentado, pensando en todo lo que había sucedido con O'Neil y los otros, tratando de dilucidar si había arreglado la situación o si sólo la había empeorado, sentí que Lucy estaba entrando a su cuenta de Bebo. Unos minutos después, había un mensaje de ella en mi *inbox*:

iBoy, ¿eras tú?

¿era yo quién?

yo sé que ERAS TÚ. ¿quién eres?

soy quien tú quieras que sea.

110

Entonces me salí.

Mi mente rezumbaba demasiado para descansar. Me levanté de la cama, me puse la chamarra y volví a subir al piso treinta.

Escoria, perra, puta… Sabía que sólo eran palabras, y que las palabras, como dicen por ahí, no te pueden lastimar. Pero cuando estuve ahí afuera del departamento de Lucy, cuando vi esas inquietantes palabras pintadas con crudeza en la pared y la puerta, supe que *sí lastiman*.

Estiré la mano a la pared con la palma al frente. Luego cerré los ojos y me concentré. Poco después comencé a sentir una energía entre mi mano y el muro. Era una especie de resistencia tangible, como un campo magnético. Abrí los ojos y moví la mano sobre las palabras, presioné con delicadeza la resistencia hacia la pintura, y entonces, el grafiti comenzó a desprenderse.

Fue muy rápido. Cuando terminé, ya no quedaban rastros. Usé el mismo tipo de energía para limpiar la pintura que aún tenía en las manos. Cuando acabé, toqué a la puerta de Lucy.

Su mamá había salido; ella trabajaba en la sucursal local de Tesco. Ben tampoco estaba, así que Lucy estaba sola. No creí que fuera buena idea verla en esas condiciones, sobre todo después de la visita que le había hecho aquella docena de Cuervos. Pero para Lucy yo no estaba al tanto de nada de eso, así que sólo mantuve la boca cerrada e hice una notita mental para recordar que más adelante tendría que sostener una tranquila, y posiblemente amenazadora, conversación con Ben.

—Tom, jamás *creerías* lo que acaba de suceder —dijo Lucy cuando nos sentamos en el sofá de la sala.

—¿Te ganaste la lotería? —pregunté.

—No, no. Acaba de suceder, hace como media hora —sacudió la cabeza con incredulidad—. Dios, fue *tan* bizarro, todavía no lo puedo *creer*.

Comenzó diciéndome todo lo que pasó con O'Neil y los otros. Me dijo que se había sentido muy atemorizada cuando se dio cuenta de que estaban afuera, sobre todo cuando le gritaron por la ranura del buzón. Dijo que luego escuchó otra voz y los ruidos típicos de una pelea: gritos, insultos, gente corriendo. Se asomó por la ranura y vio que un chico *rarísimo*, con la piel de colores, estaba poniendo en su lugar a O'Neil.

—… o sea, la piel le brillaba, Tom, te lo juro. Era como si estuviera cubierto de tatuajes de neón o algo así. Los tatuajes se movían, sólo que… *no* eran tatuajes.

Fue demasiado extraño escucharla contarme la historia. En parte porque tenía que fingir que no sabía nada. Vaya, tenía que ir diciendo: "¿Qué?", "No… ¿en serio?". Además, Lucy se veía tan vigorosa, tan llena de vida, que parecía la antigua Lucy. Y como que no me quedaba claro lo que eso me hacía sentir. Como es obvio, por un lado me daba mucho gusto, es decir, parecía que Lucy volvía a ser la misma y, ¿qué de malo podría haber en eso? Bueno realmente no había *nada* de malo. Nada en lo absoluto. Pero, para ser honestos, creo que, por otra parte, me sentía un poco celoso. Lucy estaba tan emocionada, tan encantada y tan llena de curiosidad respecto al misterioso desconocido que había llegado galopando para rescatarla, que me daban ganas de decirle que había sido yo. Quería que se emocionara por *mí*, no por iBoy. Ya sé que suena patético, egoísta, infantil, y lo que quieran y manden, pero, como dije, sólo estoy tratando de ser honesto, y así fue como me sentí.

—¿Tom? —la oí decir—, ¿me estás escuchando?

—Lo siento —contesté mirándola—, es sólo que…

—¿Crees que sea él?

—¿Quién?

Suspiró.

—El chico de Bebo, del que te acabo de *contar*. ¿Tú crees que sea la misma persona?

—¿La misma persona que quién?

—Que el *otro* chico —dijo, impaciente—. El que trató de aventar a O'Neil por la ventana.

—Ah, ya —dije, fingiendo que me caía el veinte—. Entonces tú crees que este chico de Bebo podría ser el chico héroe, ¿no es así?

—Ajá. ¿Tú qué opinas?

Me encogí de hombros.

—Bueno, pues no sé, o sea, el tipo que viste en el corredor, el que tiene la piel rara, ¿estás segura de que era real?

—*Por supuesto* que era *real*. ¿Cómo no podría serlo? —sacudió la cabeza, enojada—. ¿Qué estás tratando de decir, Tom?, ¿qué yo *inventé* a este chico?

—No, no, no quise decir eso. Sólo pensé que, bueno, tal vez estabas cansada o algo así. Ya sabes.

Me miró con hostilidad.

—Yo sé lo que *vi*, Tom. ¿Sabes qué?, si no me crees…

—Sí te creo.

—Si quieres, puedes preguntarle a Ben. Aquí estaba; él lo vio. Ben te puede contar si no me crees.

—Okey, okey —dije, elevando las manos—, ya *dije* que te creo, ¿no? *Te creo*, Luce.

—¿En serio?

—Sí, en serio. Es sólo que yo…

—¿Qué?, ¿es sólo que qué?

—Nada, no sé, estupideces mías. Discúlpame.

Negó con la cabeza y me lanzó una mirada hostil de nuevo.

—A veces puedes ser tan idiota.

—Lo sé, perdón.

Continuó mirándome durante un segundo o dos, pero Lucy jamás había podido quedarse enojada conmigo durante mucho tiempo. Así que después de un rato, su mirada se suavizó y su rostro se relajó lo suficiente para sonreír.

—Bueno, bueno —dijo—, no tienes que disculparte conmigo por hacer estupideces. Ya estoy bastante acostumbrada.

—Gracias.

—De nada.

Mientras estábamos sentados ahí, sonriéndonos, no pude evitar darme cuenta de que Lucy no se veía tan retraída como la ocasión anterior. Tenía puestos jeans negros y una camiseta blanca, y no llevaba maquillaje ni calcetas. Además se acababa de lavar el cabello. Se veía muy bien. Se veía, mmm, no sé, sólo se veía *bien*.

—¿Qué? —me preguntó al mismo tiempo que, con toda conciencia, se apartaba el cabello de la cara—. ¿Qué pasa?

—Nada —le respondí y miré en otra dirección—. Bueno, ¿y dónde *está* Ben?, ¿dices que salió?

—Ajá. Le pedí que no lo hiciera pero me dijo que era urgente.

—¿Urgente?

Se encogió de hombros.

—Recibió un mensaje antes de salir. Tal vez tuvo que encontrarse con alguien. No lo sé. —Lucy se agachó y se rascó el pie—. Bueno, pero, vaya, debiste haber *visto* a este tipo, Tom. Fue *sorprendente*. O sea, cuando tenía a O'Neil en la ventana, realmente pensé que…

Mientras ella seguía contándome acerca de lo increíble que era iBoy, yo rastreé el celular de Ben. Estaba en la planta baja de Baldwin House. Abrí sus mensajes de texto y ahí encontré uno de alguien que se identificaba sólo como T. Decía: *aquí ahora*. Ben había contestado: *no puedo lo siento*. T respondió: *AHORA! O TE MUERES*. Y Ben, como era de esperarse, escribió: *ok en 5*.

Traté de rastrear el cel de T. Estaba en la misma área que el de Ben, pero no pude investigar más. Era un teléfono nuevo, con prepago y sin registro, por eso mi iCerebro no me pudo decir mucho más sobre él. Sin embargo, mi cerebro normal me dijo que tal vez T era Troy O'Neil.

Me quedé en el departamento de Lucy hasta las ocho en punto, cuando regresó su madre. Para ese momento Lucy por fin había dejado de hablar de iBoy, así que pudimos pasar una hora, más o menos, hablando de trivialidades: programas de televisión, chismes de la escuela, música. Sólo las divertidas y viejas ondas de siempre.

Cuando Lucy me acompañó a la puerta, le dije:

—Si alguien te vuelve a molestar, sólo llámame, ¿okey? Es decir, ya sé que no soy tan súper heroico como tu maravillosísimo míster iBoy, pero...

—Ya cállate —Lucy sonrió y me dio un golpecito en el brazo.

La miré.

—No, en serio, Luce, cualquier problema que tengas, o si te quedas sola en casa, cualquier cosa: llámame.

Asintió con una sonrisa.

—Gracias, Tom —y entonces, sin decir una sola palabra, se estiró y acarició mi cicatriz con mucha delicadeza—. Cosquillea —dijo en voz baja.

—Es que soy Electro-Man —le dije—. En serio, bastante electrizante.

—Ajá, —dijo sonriente—, ya *quisieras*.

Ben no se esperaba verme parado en el corredor cuando se abrieron las puertas del ascensor, pero yo sí esperaba verlo a él.

Noté su desagrado de verme.

—Tom, ¿qué estás haciendo...?

—Quiero hablar contigo —le dije al mismo tiempo que lo sujetaba del brazo y lo sacaba del ascensor.

Comenzó a alejarse de mí.

—La verdad es que no tengo tiempo.

—Sí, sí tienes —le dije, y le apreté el brazo con más fuerza. Lo conduje por el corredor hasta pasar por su departamento. Luego abrí la puerta de las escaleras—. Siéntate —le ordené.

—¿Qué pasa?

—Siéntate.

Hizo lo que le dije y se sentó con vacilación en los escalones. Yo me senté junto a él.

—¿Qué te pasa, eh? —le pregunté.

—¿Qué? Nada.

—Ayer que hablé contigo hiciste el teatrito de que te estaba consumiendo la culpa de lo que le había pasado a Lucy, ¿te acuerdas? Dijiste que no podías evitar pensar que todo había sido culpa tuya.

—Ajá, ¿y?

—Bueno, entonces, ¿por qué hoy, veinticuatro horas después, la dejas sola en el departamento después de que los animales que la violaron le meten un tremendo susto?

—No —dijo con firmeza y negando con la cabeza—, ella estaba bien.

—La dejaste *sola*, por Dios santo.

—Sí, ya sé, pero no iban a regresar.

—¿Y tú cómo lo sabes?

—Bueno, quiero decir que no creí que lo hicieran.

—Es que eso no importa —lo interrumpí—, ése no es el punto. El caso es que dejaste a Lucy sola —lo miré con desprecio—. ¿Qué no lo *entiendes*?

Bajó la mirada y se quedó viendo al suelo con incomodidad.

—Dios, Ben —suspiré—, eres un imbécil, en serio que lo eres.

Se encogió de hombros.

Me quedé un rato sentado mirándolo, *tratando* de sentir lo mejor de él, pero no podía encontrar nada. Después de un rato, le pregunté en voz baja:

—¿Qué quería Troy?

Levantó la cabeza de golpe y se me quedó viendo.

—¿Qué?

—Troy O'Neil, ¿qué quería contigo?

—¿Cómo sabes que era Troy?

—Nada más adiviné. ¿Qué quería?

—Nada.

—¿Que qué *quería*? —le repetí.

Ben sólo negó con la cabeza.

—Tu mamá está en casa —le recordé—. ¿Quieres que entre y le cuente que te robaste un iPhone?

—No —dijo en voz baja.

—Entonces dime qué quería Troy.

Ben suspiró.

—No tiene nada que ver contigo.

Me levanté como si fuera a hablar con su madre.

—No —dijo rápidamente al tiempo que me sujetaba del brazo—, no quise decir *eso*, es sólo que...

—¿Qué? —le dije y le quité la mano de mi brazo; luego volví a sentarme—. ¿Qué fue lo que quisiste decir entonces?

—No tenía que ver contigo. O sea, Troy no quería verme para hablar de *ti*. Quería hablar de un tipo.

—¿Qué tipo?

Ben frunció el ceño.

—Mierda, no lo sé. Fue algo que pasó cuando Yo y los demás estaban afuera del departamento. Es un tipo que... demonios. No sé ni lo *que* es. Tenía algo muy raro en la cara, como luces o algo así, sólo que *no* eran luces. Era una especie de camuflaje, como una máscara. No lo sé, sólo salió de la nada y comenzó a golpear a todo mundo. Dios mío, era *increíble*. Y tenía una de esas pistolas Taser, ¿ya sabes? Son unas armas eléctricas como las que usa la policía. Le disparó con ella a todo mundo.

—¿Ah sí?

—Hasta trató de aventar a Yo por la ventana. Tal vez lo habría hecho de no ser porque Yo le metió un karatazo.

—¿Ah sí?

—Ajá, Yo sabe karate. Le pegó al tipo en el cuello y entonces el tipo lo dejó ir.

—¿Tú viste eso?

—Ajá, sí, yo vi todo. Por eso Troy quería verme, quería saber todo respecto al tipo, porque, bueno, pues había tratado de matar a su hermano.

—Y entonces le dijiste a Troy todo lo que habías visto.

—Ajá.

—¿Alguna otra cosa?

117

—¿Como qué?

—¿Le dijiste algo más?

—No.

—¿Estás seguro?

—Ajá, sí.

—No *suenas* muy convencido.

Ben me miró.

—No le dije nada más, ¿está bien? No *sé* nada más.

Me le quedé viendo.

—Más te vale no decirme mentiras.

Se encogió de hombros.

Luego le dije:

—Y bueno, ¿tú qué crees que va a hacer Troy respecto al tipo de la Taser?

Ben volvió a encoger los hombros.

—Supongo que encontrarlo.

—¿Y luego?

—Lo más probable es que lo mate.

1101

—*¿Y él qué hace en realidad?*
—*¿Disculpe?*
—*Dios, o sea, ¿qué es lo que hace en realidad?*
—*Bueno —respondió el vicario lentamente—,
creo que no es cuestión de lo que Dios hace.*
—*Lo es para mí.*

KEVIN BROOKS, *Killing God* (2009)

Después de dejar que Ben volviera a su departamento, me sorprendió ver que me dirigí hacia arriba en lugar de bajar a mi casa. No estaba consciente de lo que hacía, es decir, no era algo que hubiera planeado o algo así. Lo único que sabía era que las escaleras llevaban a la azotea, así que supuse que *algo* en mi interior sí sabía lo que pasaba.

Subí dos tramos más de escaleras desde el piso treinta y llegué a una puerta de hierro que estaba cerrada con candado. Era una entrada que iba del piso al techo. Estaba asegurada con una gruesa cadena de metal y un enorme candado de bronce. Sujeté el candado, cerré los ojos y luego dejé que la energía corriera por mi brazo y llegara a mi mano. Un momento después, comencé a sentir que algo se movía dentro del candado. Escuché tenues clicks: el metal del metal sobre el metal, y de repente, se abrió.

Quité la cadena, entré y cerré la puerta detrás de mí. Entonces me encontré frente a otra puerta de acero reforzado y con un letrero que advertía: *PROHIBIDO PASAR SIN AUTORIZACIÓN*. Estaba cerrada, por supuesto, pero no con candados. Había un teclado numérico en la pared. Sólo necesitaba el código de seguridad para poder entrar.

Ningún problema.

Hackeé la base de datos del Ayuntamiento, escudriñé un montón de datos de seguridad relacionados con los edificios de Crow Town y encontré el código de cuatro dígitos. Lo ingresé, 4514, y abrí la puerta. Al entrar me encontré en un cuartito lleno de todo tipo de cachivaches. Alacenas, repisas, tubos, cables, controles de calefacción. Había una escalera de metal pegada a la pared del fondo. Conducía a una puertita que también estaba cerrada con candado. Subí por la escalera, usé mi energía para iAbrir el candado, empujé la puertita y subí a la azotea.

Había dejado de llover, pero cuando cerré la puertita y caminé a la orilla de la azotea sentí el fresco aire nocturno en mi escaso cabello. Estaba treinta pisos arriba del suelo y podía ver a kilómetros y kilómetros a la redonda. Las luces brillaban en todos lados, luces de casas, de departamentos, los faroles de las calles, luces de tránsito, ríos enteros de iluminación. Y más allá, en la distancia, pude ver la fulgurante iluminación de Londres, los edificios de oficinas, las lujosas torres departamentales, calles y más calles pletóricas de tiendas, de teatros, de tráfico.

Pero por supuesto, ya lo había visto todo antes. Lo veía todos los días, cada vez que me asomaba por la ventana. Sin embargo, desde aquí, afuera en la azotea, la vista parecía ligeramente distinta: más amplia, más clara, más grande, más *real*.

Me senté con las piernas cruzadas justo en la orilla.

Crow Town se preparaba para la noche allá abajo, en la oscuridad. Había grupos de chicos deambulando por ahí, en las esquinas, bajo el abrigo de las sombras de los edificios, a un lado de la calle. Otros atravesaban el conjunto en coches o en bicicletas. Los tenues sonidos vagaban por la noche; los gritos, los ladridos de los perros, coches, música… Pero aquí, en la cima del mundo, todo era paz.

Miré hacia la noche sin estrellas y lo único que pude ver fue un inagotable mundo de oscuridad y vacuidad. Pero yo sabía que *no* estaba vacío. El cielo, la atmósfera, el aire, la noche, el mundo entero estaba lleno de la vitalidad de las ondas de radio. Estaban por todos lados, a mi alrededor, todo el tiempo. Señales de televisión, de radio, de teléfonos celulares. WiFi, microondas, VHF, UHF, ondas electromagnéticas.

Estaban en todos lados.

Y a pesar de que no podía verlas, sí podía percibirlas. Me podía conectar a ellas. Podía *conocerlas*.

Cerré los ojos y me sintonicé, de manera aleatoria, a una llamada de teléfono celular:

—... *está pasando la oficina de correos de la Avenida Principal* —decía alguien—. *Pasas la oficina de correos y ahí adelante hay un pub. Ahí es.*

—*¿Cuál pub?* —preguntó alguien más—, *¿el George?*

—*No, ése está del otro lado de la calle...*

Y otra conversación al azar:

—... *¿por qué no? Dijiste que si no lo volvía a hacer, no habría problema.*

—*Sí, ya sé, pero lo hiciste...*

Y otra más:

—...*ya deshazte del maldito, ¿sí? No puede hacer eso, lo voy a ...*

Y en algún lugar, alguien le enviaba un correo electrónico a una chica llamada Sheila. En él le decía que, a menos de que se pusiera en orden, no volvería a ver a su bebé jamás. Alguien más enviaba un correo electrónico a alguien de Coventry desde una dirección supuestamente imposible de rastrear. Pero yo la rastreé:

—...*el aspecto biológico es sencillo* —decía—, *cualquiera puede fabricar una botella de gérmenes, dejarla caer en el suministro de agua y matar a 100,000. El mártir se comprometería a no dejar ningún rastro de su participación.*

Y alguien más le estaba enviando un horrible mensaje de texto a una chica llamada Andrea; en él le decía una cantidad tremenda de cosas degradantes...

Y luego, en la red, Dios mío, había un *mundo* completo en la red. Un mundo de tantas cosas... buenas, tristes, demenciales. Era como

121

el mundo real: igual de maravilloso y bello, pero también igual de vil, enfermizo y descorazonador.

Dejé de escanear.

Había demasiadas cosas sucediendo ahí; demasiadas de ellas eran terribles y yo no sabía cómo lidiar con algo así. Todo eso que ahora sabía pero de lo que *no quería* estar enterado, todo lo nocivo, lo perverso, todo… yo lo *sabía*. También *sabía* que podía hacer algo al respecto, o por lo menos, que podía hacer algo respecto a una parte de lo que sucedía. Por ejemplo, *podía* averiguar quién le había enviado ese repugnante mensaje de texto a Andrea y por qué; *podía* investigar en dónde vivía, *podía* ir a ver a esa persona y tratar de convencerla de que enviar mensajes así era algo despreciable. Pero luego, ¿qué sucedería con los otros millones de actos repugnantes?, ¿todo aquello que es un millón de veces peor que enviar mensajes mala onda?, ¿los abusos, horrores, las cosas enfermas que la gente se hace entre sí; las cosas respecto a las que no podría hacer nada porque estaría muy ocupado tratando de ayudar a Andrea?, ¿asuntos como planes terroristas para matar a 100,000 personas con un arma biológica?

¿Qué se suponía que debía hacer respecto a esos *asuntos*?

No podía solucionar *todo*, ¿verdad?

No era Dios.

Era sólo un chico.

"Además —me dije— por lo menos estás tratando de hacer algo respecto a una parte de todo lo malo; como lo que le sucedió a Lucy. Y eso es mucho más de lo que Dios hace. Es decir, Dios lo echa todo a perder, ¿no? Sólo se sienta ahí regodeándose en sus superpoderes, exigiendo adoración…"

Ya eran las 21:42:44 y ya comenzaba a hacer frío. Me puse la capucha y encendí la iPiel para calentarme con la energía eléctrica. Cuando miré desde la orilla de la azotea, me pregunté cómo me vería desde abajo: una figura tenuemente iluminada, sentada con las piernas cruzadas en la parte más alta de un edificio de departamentos.

Como una especie de Buda bizarro con capucha.

Un iBuda delgado que brillaba en la oscuridad.

O tal vez como una iGárgola.

Volví a cerrar los ojos y abrí mi página de Bebo. Había dos mensajes de aGirl: uno viejo que decía *¿ya te fuiste?*, y el otro, un poco más extenso, había llegado cinco minutos antes. Decía:

disculpa si te hice demasiadas preguntas y eso te ahuyentó o algo así, pero tenía curiosidad. tienes que admitir que eres bastante ¡peculiar! está bien, o sea, no tienes que decirme nada si no quieres no te preguntaré nada más. pero por favor no te vayas. si quieres sólo podemos hablar.
aGirl

Vi que Lucy estaba en línea, así que le respondí:

no, está bien, no me ahuyentaste, es sólo que he estado un poco ocupado. ya volví. así que, bueno, ¿cómo te sientes? ya no te escuchas tan decaída como la vez pasada. ¿están mejorando las cosas?

hola otra vez, iBoy. me da gusto que hayas regresado. no, las cosas no están mejorando en realidad y no creo que jamás lo hagan, pero ya no me siento tan vacía y tan muerta. creo que hablar me ayuda bastante; hablar contigo, por supuesto. también tengo un amigo que se llama tom, él es muy amable y me escucha. ¿te puedo preguntar algo acerca del muchacho al que casi aventaste por la ventana? ¿sabes lo que me hizo?

sí.

¿en verdad lo ibas a empujar?

no lo sé. ¿qué pensarías si te dijera que sí?

no sé. una parte de mí cree que merece morir, pero hay otra parte que me dice que no, que eso está mal. ¿sabes a qué me refiero?

sí, sé muy bien de lo que hablas

hablemos de otra cosa.

okey. ¿cómo de qué?

¿en dónde estás?

estoy sentado en el cielo

sí, claro. ¿cuál es tu verdadero nombre?

sólo te lo voy a decir si me cuentas acerca de tom.

¿qué quieres saber?

¿es tu novio?

¡no! lo conozco desde siempre porque crecimos juntos. no es mi novio, sólo es un amigo cercano. me cae muy bien y creo que yo a él también. la verdad es que no creo que yo le guste, sólo se preocupa por mí. yo también me preocupo por él. creo que es un chico bastante nostálgico.

tal vez sí le gustas y no sabe cómo decírtelo.

tal vez, pero, ¿a ti por qué te interesa eso?

no, sólo me daba curiosidad.

está bien, ya contesté tu pregunta. ahora contesta la mía, ¿cuál es tu verdadero nombre?

ya lo sabes.
te veo luego.
iBoy

Me apagué, abrí los ojos y me puse de pie con cuidado. Eché un último vistazo al vacío, di la vuelta y me fui a casa.

1110

Cuando regresé, Abue estaba en la sala viendo la televisión. Estaba tan pálida y agotada como siempre. Su rostro se veía demasiado delgado, tenía los ojos cansados y la piel demasiado avejentada para la edad que tenía. Realmente no era tan grande, acababa de cumplir cincuenta y cuatro años algunos meses atrás, pero su vida no había sido nada fácil y tantos años de esfuerzo ya le habían pasado la factura.

Había pasado gran parte de su vida sola.

Yo nunca conocí a mi padre, así como mi madre tampoco conoció al suyo. Su padre había sido tan desconocido y ausente como el mío, así que Abue pasó la mayor parte de su vida adulta siendo o una madre soltera que criaba sola a su hija, o una abuela soltera que criaba, como si fuera suyo, al hijo de su hija muerta. Además, todo eso lo había hecho al mismo tiempo que trataba de ganarse la vida haciendo algo que no le satisfacía en lo absoluto y tampoco le redituaba gran cosa.

Por todo eso, creo que se había ganado el derecho a verse un poco acabada.

—Hola, Abue —le dije cuando me senté junto a ella—. ¿Qué estás viendo?

—Sólo las noticias —dijo. Apagó el sonido de la televisión y me sonrió. —¿Cómo está Lucy?

—Creo que está bien, bueno, *más o menos* bien, ya sabes.

Abue asintió.

—¿Y qué hay de ti?, ¿cómo va tu cabeza?

—Bien, sin problema.

—¿Estás seguro?

—Ajá.

—¿No te has sentido mareado ni nada por el estilo?

—No.

"Solamente tengo un asombroso y demencial mundo en la cabeza".

—¿Y has tenido dolores de cabeza?

—No.

"Sólo he tenido llamadas, correos electrónicos, mensajes de texto, páginas web…"

—¿Entonces no has estado escuchando voces?

Me le quedé viendo.

—¿Qué?

Se rió.

—Estoy bromeando, Tommy.

—Ah, okey —le dije—, ja, sí, muy graciosa.

Puso su mano sobre mi rodilla.

—Estoy muy contenta de que estés bien, cariño, en serio. Estuve tan preocupada el tiempo que pasaste en el hospital, pensé que, bueno, ya sabes, pensé… —Su voz se quebró y se enjugó una lágrima. Supe que estaba pensando en mi mamá, su hija, y no pude imaginarme lo difícil que debió haber sido para Abue verme en el hospital, sentarse junto a mí sin saber si viviría o moriría.

La abracé y apoyé mi cabeza en la suya.

—No te preocupes, Abue —le dije en voz baja—, voy a estar bien, te lo prometo.

Sonrió entre lágrimas.

—Más te vale.

—Confía en mí, tengo planeado vivir, *por lo menos* hasta que tenga tu edad.

Se rió y me dio un golpecito juguetón en la pierna. Luego sacó un pañuelo de su bolsillo y comenzó a secarse las lágrimas. Había muchas cosas que quería preguntarle acerca de mamá, pero sabía que Abue no querría hablar al respecto. No le gustaba hablar de lo que le había sucedido a mamá; supongo que era demasiado para ella. Era demasiado doloroso y triste, y yo podía comprenderlo. O por lo menos intentaba hacerlo. Es decir, por lo general no era algo que me molestara. Además, casi nunca sentía la *necesidad* de saber algo más allá de los hechos: que cuando yo tenía seis meses mamá había muerto atropellada por un hombre que huyó.

Para mí era suficiente saber eso.

Casi siempre.

Pero en algunas ocasiones, como ahora, ya *no bastaba*.

A veces, por alguna razón, sentía que necesitaba saber más.

—¿Abue? —le dije con sutileza.

Ella resolló.

—¿Sí, mi amor?

—¿Sucedió lo mismo con mamá?

Me miró.

—¿Lo mismo?

—Ella… ¿estuvo algún tiempo en el hospital como yo, o… ya sabes?, ¿fue rápido?

Abue me miró fijamente como por uno o dos segundos. Luego miró al piso y, por un momento, pensé que no me iba a contestar. Pero entonces, después de sollozar un poco y sonarse otra vez la nariz, me dijo con mucha calma:

—Ella no sufrió, Tommy, fue algo muy repentino. Ni siquiera supo lo que sucedió.

—¿Murió de inmediato?

Abue asintió.

—Georgie se dirigía al trabajo. Bajó del autobús, comenzó a cruzar la calle, y de repente salió un coche de la nada y la atropelló. Su muerte fue instantánea, gracias a Dios, no se dio cuenta de nada.

Abue tenía la voz quebrada por las lágrimas y sus manos temblaban.

—Lo siento, Abue —le dije—, no quise…

—No, no —dijo rápidamente al mismo tiempo que volteaba a verme—, está bien, Tommy, soy sólo yo, es sólo…

No pudo terminar la frase, me sonrió con tristeza, se enjugó otra lágrima, tomó mi cabeza entre sus brazos y, con mucha dulzura, me abrazó fuertemente. Yo pude sentir cómo temblaba todo su cuerpo.

Más tarde, después de que cenamos algo y vimos juntos el final de una película, le pregunté si alguna vez había oído hablar de Howard Ellman, el hombre sobre el que me había contado Davey. Al que llamaban el Diablo. Su reacción me desconcertó. Al principio no hizo nada, sólo se quedó sentada e inmóvil, mirando hacia el frente; ni siquiera respiraba. Pensé que tal vez no me había escuchado, pero luego volteó a verme con gran lentitud. Entonces me di cuenta de que *sí* me había escuchado. Estaba asombrada, absoluta y completamente asombrada. Fue como si acabara de recibir las peores noticias del mundo.

—¿Qué sucede, Abue? —le pregunté— ¿Estás bien?

—¿*Cómo*? —murmuró.

—Que si te sientes bien, te ves terrible.

Parpadeó y frunció el ceño.

—¿Disculpa? Ah… eh… es que estaba como a kilómetros de distancia. ¿Qué dijiste?

—Howard Ellman, te pregunté si alguna vez habías escuchado hablar de él.

—¿Por qué? Es decir… —aclaró la garganta— ¿por qué quieres saber de él?

Me encogí de hombros.

—Por nada en especial, es sólo que Davey me dijo que él era quien dirigía a las pandillas locales. Bueno, no es que *en realidad* las maneje, pero digamos que es en buena medida quien jala los hilos.

Abue asintió y me sonrió forzadamente.

—¿Entonces por qué me preguntas *a mí* al respecto?, ¿qué te hace pensar que yo conocería a alguien así?

129

—No lo sé, sólo pensé que tal vez habías escuchado de él porque llevas mucho tiempo viviendo aquí, porque conoces a mucha gente y te enteras de cosas. —Volví a encoger los hombros—. *No importa,* Abue, no tiene ninguna relevancia, sólo se me ocurrió preguntar.

Ella asintió de nuevo sin quitarme los ojos de encima, y por un momento creí que me iba a decir algo, que *quería* decirme algo, algo de verdad importante.

Pero me equivoqué.

Sólo miró su reloj y dijo:

—Ya es hora de que te vayas a la cama, es tarde. Te veo mañana, ¿de acuerdo?

Minutos después, cuando estaba cerrando la puerta de mi cuarto, me asomé al pasillo y vi que Abue estaba sentada muy erguida en el sofá. Estaba completamente inmóvil y tenía las manos en las rodillas. Miraba hacia el frente, hacia la nada, era como si hubiera visto un fantasma.

1111

Si sabes en dónde buscar y cómo hacerlo, y si tienes la capacidad de hurgar en cualquier sitio que desees, entonces descubrirás que el cibermundo está lleno de lugares en los que puedes encontrar cualquier información perteneciente a todo tipo de gente. Tenemos, por ejemplo, la base de datos del ADN Nacional, el Registro Civil (en donde se registran nacimientos, casamientos y fallecimientos), el Registro Nacional de Identidad, el registro detallado de los servicios del Sistema Nacional de Salud, la Agencia de Conductores y Licencias Vehiculares, el Servicio de Identidad y Pasaportes… Vaya, la lista es inagotable. Además, si al igual que yo, puedes *hackear* todos estos sitios sin problema alguno, entonces no te será difícil encontrar todo lo que pueda existir respecto a una persona.

Pero aquella noche, cuando me recosté en medio de la oscuridad, usé todos los buscadores posibles y *hackeé* todas las bases de datos que se me ocurrieron, y, a pesar de eso, no pude encontrar información reciente sobre Howard Ellman. Al menos, no sobre el Howard Ellman que estaba buscando. Había un Howard Ellman en San Francisco que era abogado; otro que había escrito un libro llamado *Cirugía artroscópica de hombro*; otro que era un consumado diseñador y arquitecto con licencia… había cientos de Howard Ellmans alrededor del mundo, pero ninguno de ellos tenía vínculos con Crow Town. Escaneé millones de correos electrónicos, millardos de mensajes de texto, y nada. Revisé registros telefónicos, impuestos del Ayuntamiento, recibos de gas y electricidad, el padrón electoral, cuentas bancarias y de crédito, y nada. Tampoco sirvió de mucho cambiar letras del apellido y buscar Elman, Elmann, Ellmann, porque continué sin encontrar nada.

Al menos ningún dato actual.

Pero de pronto, *hackeé* la Computadora Nacional Policial (CNP) y encontré un registro criminal de Ellman. La información no estaba actualizada del todo porque la última entrada se había registrado en julio de 2002. Tampoco había muchos detalles, pero contenía lo suficiente para darme cuenta de que Davey no había exagerado al decir que Ellman era "un tipo muuuy malo *de verdad*".

Nombre: Howard Ellman
Tipo étnico: Caucásico
Altura: 1.85mts
Peso: 83 kg
Color de ojos: Azul claro
Señas particulares/tatuajes, etc.: Ninguno
Dirección: Se desconoce
Fecha de nacimiento: 10/01/1971
Lugar de nacimiento: Addington House, Conjunto habitacional Crow Lane, Londres SE15 6CD
Ocupación: Se desconoce
Vehículos registrados: Ninguno
Sentencias/Advertencias/Arrestos: Arrestado sept. 1989, marzo 1990, abril 1992 por asalto agravado, todos los cargos fueron retirados subsecuentemente. Arrestado marzo 1993, oct. 1995, julio 2002 por abuso sexual, demandas retiradas, cargos retirados.
Comentarios adicionales: Se sospecha su participación en fondeo/importación/suministro de drogas de Clase A, pero no se ha comprobado.

También es posible que esté involucrado en prostitución organizada, tráfico de armas, préstamo ilegal de dinero y tráfico de gente. Se le conoce como "El Diablo", "Hellman", o "Hell-Man". Este individuo es sumamente peligroso y se le debe aproximar con extrema precaución en todo momento.

No había fotografías en el archivo de la CNP, pero había un vínculo a los registros de custodia computarizados de la estación de policía del Barrio de Southwark. Cuando entré a esos registros encontré una imagen en JPEG de una fotografía tomada para fichar a Ellman cuando tenía unos veintitantos años. Era un hombre con rostro anguloso, labios delgados, cabeza rapada y una mirada desalmada. En su cara no había rastro alguno de emoción: no había miedo ni ira, ni nada. Nada en lo absoluto. Era el rostro de un hombre que podía acabar con una vida con la misma facilidad con la que respiraba.

En la oscuridad de mi cuarto, en la luz de la oscuridad que estaba dentro de mi cabeza, estudié ese rostro durante un largo tiempo. Y entre más lo miraba, más me intrigaba saber por cuántos crímenes tendría que responder Howard Ellman, cuánto dolor había causado, cuánto sufrimiento...

Recordé las palabras de angustia de Lucy: "Me arruinaron, Tom. Esos malditos me arruinaron por completo".

Y entonces me pregunté cuántas vidas más habría arruinado Ellman.

Eran las 03:34:42 cuando salí del departamento y cerré con cuidado la puerta. Caminé de puntitas por el corredor, hice una pausa para ponerme los zapatos y luego continué hasta el ascensor.

Mi iPiel brillaba.

Traía la capucha puesta.

Mi corazón era de hielo.

10000

El fin puede justificar los medios, siempre y cuando exista algo que justifique el fin

LEÓN TROTSKY

Cuando atravesé el área de césped entre Compton House y Crow Lane, se respiraba una tranquilidad inusual en el conjunto. A los edificios, las calles, a la negra y vacía bóveda del cielo y a todo lo demás, los bañaba ese mortecino silencio de la noche que te hace sentir como si fueras el único ser vivo sobre la tierra.

La noche era fría. Tenía las manos congeladas, mi aliento provocaba un vaho en el aire y, además, podía sentir bajo mis pies el suave crujido de la helada.

Pero no me importaba.

Frío o caliente, no había ninguna diferencia para mí. Me había imbuido una vez más en aquel estado de brutalidad controlada, el control de no tener control; y lo único que podía sentir era el inexorable e irresistible sentimiento de que tenía un objetivo. Llegar ahí, encontrarlos, encontrarlo a él... llegar ahí, encontrarlos, encontrarlo a él... llegar ahí, encontrarlos, encontrarlo a él...

Seguí caminando sobre la hierba. Atravesé la entrada por la verja, continué sobre Crow Lane y, cuando me acerqué a la entrada de Baldwin House, escuché voces que irrumpieron en la silenciosa penumbra. Eran voces exaltadas, risotadas, el suave retumbar de un motor de coche encendido sin propósito...

Todavía no podía ver a nadie, pero no fue difícil imaginar a qué tipo de individuos les pertenecían las voces. Es decir, si estaban cotorreando en Baldwin House al cuarto para las cuatro de la mañana, seguramente no serían los niños de algún coro, ¿verdad?

Escuché al motor acelerar. Un perro gruñó y se escuchó otra risotada. Y entonces, cuando di la vuelta en Crow Lane y entré a la plaza que rodea Baldwin House, los vi: una media docena, más o menos, de pandilleros. Todos estaban encapuchados alrededor de un Golf frente a las puertas del edificio. Un doberman flaco y un bull terrier merodeaban por el coche. El bull terrier tenía un collar de púas pero ninguno de los dos perros estaba encadenado. Había varios niños demasiado chicos, como de doce o trece años, aunque la mayoría tenía diecisiete o dieciocho.

No reconocí a ninguno.

Los perros fueron los primeros en notarme. Corrieron hacia mí ladrando y gruñendo. Los chicos dejaron de hacer lo que estaban haciendo y voltearon a ver qué sucedía. Me vieron caminar hacia ellos. Vieron la piel fulgurante, el rostro encapuchado que emitía el tenue brillo de luz. Llenos de confusión, los chicos vieron cómo, de repente, los dos perros percibieron algo en mí que los asustó muchísimo. Como dos metros antes de llegar a donde yo estaba, derraparon para frenar. Bajaron las orejas y metieron la cola entre las patas. Ambos se retiraron sin más aspavientos que unos apagados gimoteos.

—¿Qué demonios? —dijo uno de los chicos.

Yo continué caminando hacia ellos. De pronto, un tipo negro alto, con una cicatriz en la mejilla, se acercó con un cuchillo en la mano para impedirme el paso.

—Hey, imbécil —dijo—. ¿Qué te…?

Yo no me detuve, sólo levanté el brazo, coloqué mi mano en su pecho y lo hice volar con una descarga de electricidad. Cuando cayó al piso, salía humo de su sudadera y su capucha, y las piernas le temblaban. Me hice a un lado y puse la mano sobre el cofre del Golf. El motor seguía encendido. El muchacho en el asiento del conductor miraba con la boca abierta al tipo negro que todavía estaba en el suelo. Con la palma de la mano presioné el metal del cofre del Golf. Le di un jaloncito a una especie de nervio o algo así que sentía dentro de mi mano. Con eso disparé una chispa de electricidad sobre el cofre. Al principio no sucedió nada, así que lo intenté de nuevo. La segunda vez, la chispa se encendió y una explosión bajo el cofre produjo una llamarada anaranjada. Se escuchó un estruendo ensordecedor y el coche se encendió en llamas.

El muchacho que estaba adentro salió gateando y los demás retrocedieron de inmediato. Los dejé ahí y continué mi camino a Baldwin House.

El departamento de Troy O'Neil estaba en la planta baja, al fondo del corredor. Era el número seis. La puerta estaba hecha de acero reforzado y, además, tenía una reja de metal a todo lo largo y ancho. Estoy seguro de que habría podido atravesar la puerta y la reja si así lo hubiera querido, pero preferí tocar el timbre. Salía luz por las orillas de la puerta, por lo que supuse que O'Neil estaba en casa y, muy probablemente, despierto.

Esperé.

Por la ventana del corredor se alcanzaba a ver la luz anaranjada del Golf en llamas y ya se comenzaba a percibir el ligero hedor del caucho quemado. Alcancé a escuchar que en el interior del departamento sonaba un *ringtone*: *Hit 'Em Up* de 2Pac. Me sintonicé dentro de mi cabeza y escuché la llamada. Era uno de los chicos de afuera.

—¿*Ajá*? —contestó.

—¿*Te acuerdas del tipo raro?, ¿el que se surtió a tu hermano? Está aquí, hombre, el maldito acaba de…*

—*Sí, lo sé.*

O'Neil terminó la llamada.

Escaneé el departamento para ver si había otros celulares.

Había tres, incluyendo el de O'Neil.

Marqué su número.

Contestó enojado.

—Estúpido, ya te *dije* que…

—¿Vas a abrir la puerta o qué? —pregunté.

—¿Qué?

—No pienso esperar toda la noche.

—¿Quién es?

Alcancé a ver un ojo a través de la mirilla de su puerta.

Lo saludé con la mano.

—¿Eres tú? —preguntó.

—¿Tú quién?

—*¿Qué?*

Suspiré.

—Sólo abre la puerta, por Dios santo.

Hubo una pausa. Escuché que cubría la bocina del teléfono. Luego oí unas voces apagadas y el traqueteo metálico de las cerraduras abriéndose. La puerta interior se abrió después de unos segundos y vi a Troy O'Neil de pie en la puerta a través de la reja. Se parecía mucho a su hermano: alto, de raza mixta y con ojos como de muerto. Supuse que tendría unos veintitantos años. En una mano tenía el teléfono y la otra la tenía guardada en el bolsillo.

—¿Qué quieres? —me preguntó.

Le sonreí.

—¿Puedo pasar?

Me frunció el ceño.

—¿Qué diablos eres?

—Déjame entrar y te lo digo.

Se me quedó viendo un momento y luego sacudió la cabeza y aspiró por entre los dientes. Quitó los seguros de la reja de metal, la abrió y se hizo a un lado para dejarme pasar. Noté que nunca sacó la mano derecha del bolsillo. Caminé por el corredor preguntándome qué tipo de arma tendría. ¿Sería una pistola o un cuchillo? Tenía dudas sobre si mi campo de fuerza sería lo suficientemente poderoso para protegerme de una bala, pero me di cuenta de que tal vez era demasiado tarde para comenzar a preocuparme por eso.

Cuando O'Neil sacó la pistola de su bolsillo, de detrás de la puerta salió alguien más y me puso un cuchillo en la garganta. Al mismo tiempo se abrió otra puerta que estaba a mi derecha y de ella salió un coreano gordo con un rifle en las manos.

O'Neil me sonrió y sacudió la pistola frente a mi cara.

—No eres muy inteligente, ¿verdad?

Me le quedé viendo.

El coreano medía como un metro cincuenta pero estaba gordo *en serio*. Se quedó parado ahí apuntándome con el rifle a la cabeza, mientras el tipo al que no podía ver seguía sosteniendo la navaja contra mi cuello y jadeaba de una forma muy rara. No podía verlo sin girar la cabeza, y no podía girar ésta sin que el cuchillo se me enterrara en la piel. Supuse que era Jermaine Adebajo.

Mantuve la mirada fija en Troy O'Neil.

Se acercó y se quedó mirando con curiosidad el deslumbrante torbellino de mi rostro.

—¿Qué *es* todo eso? —preguntó—. O sea, ¿cómo lo *haces*?

—¿Quieres ver qué más puedo hacer? —le pregunté con tranquilidad.

Antes de que pudiera contestarme, me tensé desde el interior y luego, casi de inmediato, liberé la tensión y emití una oleada de energía. Salió de todo mi cuerpo, fue un blanco y cegador ¡CRACK! que golpeó desde los pies a O'Neil, a Adebajo y al coreano, y luego los hizo salir volando. O'Neil y Adebajo chocaron contra las paredes del pasillo y se desplomaron al suelo. El coreano gordo salió disparado hacia atrás por la puerta del cuarto.

Esperé durante un rato mientras miraba cómo se quemaban los cuerpos. Nadie se levantó. El cañón de la pistola de O'Neil se había fundido de la punta y el cuchillo de Adabajo estaba doblado y se derretía.

Me incliné y verifiqué si O'Neil todavía tenía pulso.

Seguía vivo.

También Adebajo.

Cerré la puerta del frente con llave y le puse los seguros. Luego entré al cuarto y revisé al coreano. Se veía un poco peor que los otros dos porque le salía sangre de los oídos y la nariz. Sin embargo, también respiraba; todavía tenía el rifle entre las manos quemadas

Me acerqué a la ventana y me asomé para ver que sucedía con el Golf quemado. No pasaba nada, no había nadie alrededor. El coche sólo seguía ardiendo y el denso y negro humo se elevaba en el aire nocturno. Y a todo mundo le valía madres.

Fui a la cocina y ahí encontré un rollo de cinta de aislar en una alacena que estaba bajo el fregadero. Luego volví al pasillo y me puse a trabajar.

Después de atar a Adebajo y al coreano, los encerré en el cuarto. Arrastré a O'Neil a la sala, lo até a una silla y luego sólo me senté a esperar que despertara.

El cuarto estaba lleno de drogas y de artículos del negocio: bolsas con polvo blanco, bolsas con polvo café, bolsas de mariguana, maletas llenas de hierba y pastillas. Había plástico adherible para envolver, básculas para pesar, cucharas, cuchillos, jeringas, papel aluminio y montones de dinero por todo el lugar.

Me preguntaba cuánto dinero ganarían y cómo era posible que, con tanta lana, no se pudieran conseguir un lugar más agradable para vivir. O sea, porque incluso para los niveles de Crow Town, aquel lugar era una pocilga. Las paredes estaban sucias, las ventanas también, las alfombras estaban llenas de grasa y el aire que se respiraba era asqueroso. En resumen, era una mierda.

O'Neil gruñó.

Lo miré y vi que comenzaban a abrirse sus ojos. Esperé unos segundos, sólo lo suficiente para que me reconociera, y luego me incliné para hablar con él.

—Howard Ellman —le dije—, ¿en dónde vive?

—¿Mmuh?

139

—Howard Ellman —repetí—, quiero saber dónde vive.

O'Neil me miró sólo un momento, sin saber bien qué era lo que pasaba, y entonces, cuando se dio cuenta de que estaba atado a una silla, comenzó a forcejear. Se retorcía, maldecía y escupía tratando de liberarse.

Toqué su rodilla y le di un toque ligero. Aulló y dejó de retorcerse. Se me quedó viendo con los ojos bien abiertos.

—Escúchame —le dije—, sólo dime en dónde está Ellman y te dejo libre.

—¿Qué?

—Ellman, sólo quiero saber en dónde está.

O'Neil negó con la cabeza.

—Nunca había escuchado de él, así que mejor lárgate y....

Le volví a dar una descarga en la rodilla pero un poco más intensa que la anterior. Cuando dejó de gritar y de sacudirse, le dije:

—Voy a seguir haciendo esto hasta que me digas lo que quiero saber y cada vez va a ser peor. ¿Entiendes?

Me lanzó una mirada llena de odio, tratando de demostrarme que no se sentía atemorizado, pero yo podía ver el miedo en sus ojos. Volví a acercarme y él se retiró de inmediato, balanceándose de un lado a otro de la silla.

—Sólo dime dónde vive —le dije.

Se negó con la cabeza.

—No lo sé, nadie lo sabe.

—No te creo.

—Que no sé —escupió—. Es la maldita *verdad*.

No *quería* creerle, pero por la forma en que lo decía, por la pasión que se escuchaba en su voz y por el miedo en sus ojos, estaba seguro de que no me mentía.

—¿Y qué me dices de su número telefónico? —le pregunté.

O'Neil sacudió la cabeza.

—No se lo da a nadie.

—¿Entonces cómo te pones en contacto con él?

—No lo hacemos; si quiere algo, él nos contacta.

—¿Cómo?

—Envía a una persona. A veces alguien nos llama de su parte. Por lo general es uno de los niños.

—¿Qué niños?

Se encogió de hombros.

—Los niñitos que quieren ser Cuervos —O'Neil me miró, había recobrado algo de su confianza—. Nunca lo vas a encontrar, ¿sabes? A menos de que él así lo quiera, y entonces, desearás no haberlo conocido.

—¿Ah sí?

Sonrió.

—No tienes ni maldita idea de con quién te estás metiendo. En cuanto se entere de lo que hiciste hoy…

—¿Y cómo se va a enterar?

O'Neil titubeó por un momento y luego sólo sacudió la cabeza y se encogió de hombros otra vez. Levanté mi brazo y acerqué la mano a su cara con la palma al frente. Dejé que la energía fluyera a mi piel. Sentí cómo palpitaba y quemaba, podía ver cómo irradiaba más calor conforme la acercaba a la cara de O'Neil. Su piel comenzó a enrojecerse, sudaba a mares y había comenzado a sentir pánico. Se contoneó hacia atrás y arqueó el cuello para tratar de evitar el calor.

—¡No! —gritó—. ¡No! Por favor, no lo hagas, *por favor*.

Me detuve y mi mano quedó a unos cuantos centímetros de él.

—¿Cómo se va a enterar Ellman de que estuve aquí?

—No, no se va a enterar, yo no voy a decir *nada* —resopló O'Neil—. Te *prometo* que no le voy a decir nada.

—Ah, no. Claro que le vas a decir. *Quiero* que se lo digas.

Entonces escuché la sirena; al principio el sonido era muy tenue pero fue subiendo de volumen. Me levanté, fui a la ventana y miré hacia afuera. Por atrás del Golf pude ver las titilantes luces de color azul de dos patrullas que se acercaban a toda velocidad por Crow Lane. Sabía que nadie de Crow Town los había llamado, al menos no para reportar algo tan trivial como un coche en llamas. Supuse entonces que las patrullas se dirigían a otro lugar. Pero para no arriesgarme, encendí la frecuencia de radio de la policía y, al mismo tiempo, *hackeé* el sistema de comunicaciones de la estación de policía del Barrio de Southwark para enterarme de lo que estaba sucediendo. Me tomó menos de un segundo descubrir que me había equivocado. *No* se dirigían a otro lugar; respondían a una llamada de un automovilista que había pasado por Baldwin House y reportó que se estaba quemando un coche.

—Mierda —susurré cuando vi que las dos patrullas salieron de Crow Lane y comenzaron a avanzar hacia la plaza con las luces y las sirenas encendidas a todo lo que daban.

Sabía que quizá estaba a salvo donde me encontraba porque la policía nada más revisaría el coche y se aseguraría de que no fuera algo más serio. Lo más probable era que esperaran a que llegaran los bomberos y luego se fueran. Porque lo último que la policía querría hacer a las cuatro de la mañana, sería andar tocando puertas por todo Baldwin House y despertar gente.

Así que, bueno, sí, lo más *probable* era que estuviera más seguro si me quedaba en donde estaba.

En ese apestoso departamento.

Rodeado de drogas y armas.

Y de traficantes.

Traficantes electrocutados.

Uno de los cuales estaba atado a una silla.

No. En ese momento comprendí que *tal vez* no era tan buen lugar. Si por alguna razón la policía *sí* llegaba a encontrarme ahí, tendría muchas cosas qué explicar.

Tenía que huir.

Me alejé de la ventana y fui rápido a la mesa que estaba al centro de la habitación. Estaba retacada de bolsas transparentes de polietileno, llenas de lo que supuse que era heroína y cocaína. Tomé dos de cada una y las puse en mis bolsillos.

—¡Oye! —me gritó O'Neil— ¿Qué demonios estás haciendo?

Lo ignoré, me estiré y levanté una pequeña pistola automática que estaba en la mesa. También me la guardé en uno de los bolsillos.

Parecía que la policía ya había llegado porque, desde el interior, podía escuchar que se abrían y cerraban las puertas de sus vehículos.

También se escuchaban los chillidos de los radios.

Era hora de irse.

Volteé hacia O'Neil y le dije:

—Dile a Ellman que voy a ir tras de él.

Y antes de que siquiera pudiera contestarme, salí del cuarto, caminé por el pasillo, abrí la puerta del departamento y me salí.

Mientras iba caminando por el corredor hacia la salida, llamé al 999 desde mi iCerebro.

Contestaron casi de inmediato.

—Emergencias. ¿Qué servicio necesita?

—Se acaba de cometer un asesinato —dije al tiempo que abría la puerta de la salida en caso de incendio—; departamento Crow Lane, departamento seis de Baldwin House.

—Disculpe, señor, necesito saber si…

—Fue en la planta baja, departamento 6 de Baldwin House —repetí—. En el conjunto habitacional sobre Crow Lane. Le dispararon a alguien.

Terminé la llamada.

La salida de emergencia daba a la parte trasera de Baldwin House. Era una selva de concreto repleta de maleza, contenedores de basura, jeringas rotas y excremento de perro. De ahí me dirigí hacia el sur para alejarme del edificio. Fui bajando por entre la tierra suelta de una ligera pendiente que llegaba a un caminito improvisado. El caminito me condujo hasta llegar a las zonas de césped que llevan a Compton.

Para cuando entré al departamento y caminé de puntitas hasta mi cuarto, los oficiales que revisaban el coche en llamas ya habían recibido el aviso de que, aparentemente, había habido una balacera en el departamento seis de Baldwin House. Los oficiales ya también habían cerrado el área y estaban en espera de que llegaran los refuerzos y un equipo de ataque.

Yo me sentía completamente exhausto y agotado. Mientras me quitaba la ropa y me metía a la cama, pensaba en lo que pasaría cuando la policía echara abajo la puerta de O'Neil y, en lugar de encontrarse un asesinato y un cadáver, se toparon con tres traficantes ligeramente vapuleados y atados en un departamento lleno de drogas y armas.

¿Les preocuparía a los policías haber recibido un pitazo algo impreciso?

¿Me importaba que les importara o me valía?

No sabía.

Más bien no me importaba.

Me quedé recostado en la oscuridad y traté de reflexionar sobre lo que acababa de hacer. Sobre mi violencia, mi ira, mi salvajismo. Pero la verdad es que no lograba sentir nada. Sabía que lo había hecho y sabía que había una razón. Pero también estaba consciente de que, a pesar de la validez de mis razones, debería sentir *cierta* cantidad de vergüenza, remordimiento, culpa o algo así.

Pero no, no había nada.

Ningún sentimiento.

Sólo yo y la penumbra...

Y también iBoy.

Nosotros.

Yo.

Y iBoy.

Nos quedamos ahí acostados, en medio del silencio, pensando en nosotros mismos. ¿Qué estábamos haciendo? ¿Y por qué? ¿Qué tratábamos de lograr? ¿Y cómo? ¿Cuál era nuestra meta, objetivo, plan? ¿Qué era lo que deseábamos?

¿Cuál era nuestra razón de ser?

El corazón tiene razones que la razón ignora.

BLAS PASCAL (1623–1662)
http://www.quotationspage.com/quote/1893.html

Eran las 04:48:07.
Cerramos los ojos y esperamos la salida del sol.

10001

El estado de fuga es un desorden de memoria disociada que se caracteriza por una situación de conciencia alterada y por la interrupción o disociación de los aspectos fundamentales de la vida cotidiana del individuo, tales como la identidad e historia personales. El estado de fuga a veces se desencadena por un suceso traumático y, por lo general, es de corta duración (de entre unas cuantas horas a varios días). Sin embargo, también puede llegar a durar varios meses o incluso años. Durante este tipo de fuga, el individuo puede llegar a viajar o deambular de manera inesperada y, en ocasiones, puede incluso establecer una identidad nueva.

Sé muy bien lo que sucedió los siguientes diez días. Sé lo que hice y, en aquel momento, estaba muy consciente de ello. Estaba ahí, era yo, era yo mismo. Sabía *perfectamente* lo que hacía y por qué lo hacía.

Pero ahora que trato de recordar aquellos días (sin ayuda de mis iRecuerdos), lo único que me viene a la memoria son fragmentos de situaciones que no parecen tener nada que ver con mi forma de ser.

Fragmentos.

Fotos.

Momentos inconexos.

…en mi cuarto, sentado en el piso junto a la ventana abierta. Los rayos de la luz solar del mediodía entran y bañan mi cabeza. Tengo los ojos cerrados y en mi iCerebro zumban mil millones de palabras. Está escuchando llamadas telefónicas, leyendo correos electrónicos y mensajes de texto. Está escaneando el inframundo de Crow Town en busca de algo útil, algún dato incriminatorio… nombres, lugares, fechas, cualquier cosa.

Se siente bien verlo todo, escucharlo todo.

Pero no soy yo.

Es una aplicación informativa de la policía. Busca en las ondas radiales, escanea las palabras, encuentra a los tipos malos: ladrones, traficantes, ladronzuelos, fugitivos, soldados, tiradores, vendedores de drogas. Los encuentra y los delata de forma automática con la policía.

A todos ellos.

A la aplicación de mi iCerebro no le importa quiénes son ni lo que hacen, sólo los ve como un blanco: gángsters en potencia de once años que distribuyen drogas y armas en bicicletas; chicos pandilleros (Cuervos y FGH) que se pelean entre sí sólo por el puro gusto de hacerlo. Y luego, los otros chicos, los que *solían* ser gángsters en potencia, los que *solían* ser niños pandilleros y ladronzuelos, los que ahora se pasan la vida haciendo lo que siempre habían deseado: traficar con drogas, ganar un montón de dinero, vivir la vida... golpear y disparar y asesinar y violar...

A la aplicación de mi iCerebro no le importa a qué se dedican. No le importa si son pobres, si no recibieron educación, si están aburridos, si son adictos, si se sienten abrumados, si se sienten solos o si, sencillamente, no conocen otra forma de vida mejor. No le importa si fueron parte de familias disfuncionales, si no tienen quién los guíe, si no tienen quién los ayude, si no cuentan con alguien que les muestre lo que la vida puede llegar a ser en realidad. Tampoco le importa si son todo lo contrario, si son ricos, si fueron a la escuela ni si conocen una vida mejor.

A la aplicación, le vale madres.

Pero claro, a ella tampoco les cae mal y ni siquiera los culpa. No los juzga. Para la aplicación ellos solamente son *objetos*.

La aplicación no tiene sentimientos.

Sólo cumple su función.

Y yo sólo dejo que lo haga. Porque siento que es la misión que me corresponde: por Lucy, por Abue, por mí...

Por todos nosotros.

Sólo lo hago.

...iBoy patrulla Crow Town en la noche con su iPiel encendida. Fastidia negocios de drogas y peleas. Quema coches, derrite bicicletas y asusta a los Cuervitos. Atraca a los ladronzuelos, les roba sus armas, sus cuchillos y sus machetes.

...se mete en un departamento de Eden. Son las 03:15:44. Una madre ebria duerme en su cuarto, sus dos hijos lo hacen en el de junto. Me muevo en la oscuridad como un pálido fantasma que brilla, encuentro una mochila en la cocina. Saco de mi bolsillo la pistola automática de Troy O'Neil, la limpio y la meto en la mochila.

Me alejo de Eden House y llamo a la policía.

—Departamento tres, piso catorce de Eden House —les digo—. Yusef Hashim tiene una pistola en una mochila que está en la cocina.

... y en otros departamentos, otras noches, otros sonidos de gente que duerme. El pálido fantasma planta una bolsa de heroína por aquí, una de cocaína por allá...

...incontables iHoras que paso trabajando en la computadora de mi cabeza. Envío mensajes de texto falsos y fotografías fotoshopeadas, subo videos a YouTube, divulgo mentiras tremendas en *chat rooms* y *blogs*. Las mentiras se convierten en rumores, los rumores, en hechos: Nathan Craig es un soplón; Big y Little Jones son terroristas; DeWayne Firman posteó un mensaje en MySpace en el que dice que Howard Ellman es un maricón...

...Domingo 11 de abril, 19:47:51. Tom Harvey está sentado en una banca de la zona infantil pensando en Lucy. No la ha visto como en una semana y sabe que todo es culpa de iBoy. iBoy y Lucy ya tienen el hábito de enviarse por lo menos un par de mensajes en Bebo todos los días. Y a Tom se le sigue olvidando que él no es iBoy y que él no es quien habla con Lucy todo el tiempo. También se le olvida que Lucy no está al tanto de todo eso y que, por lo tanto, se estará preguntando por qué no ha ido Tom a verla.

O tal vez no se lo pregunta.

Para Tom es muy desconcertante saltar entre iBoy y él mismo todo el tiempo; tratar de recordar quién es y quién debería ser. Y cuando piensa en Lucy, casi siempre siente que ella lo engaña con él mismo. O que tal vez es al revés. Como si ella lo engañara pero sin saber que el otro chico al que ve (o vaya, al que le escribe en Bebo), en realidad ni siquiera es otro chico. Es Tom.

Cierra los ojos.

Hay un nuevo mensaje en Bebo para Lucy.

hey, iBoy, ¿ya te enteraste de todo lo que ha estado sucediendo en el conjunto?

no, ¿qué?

ya sabes, que las pandillas se han estado peleando entre sí y que la policía ha terminado arrestándolas. se puede leer en todos los periódicos. están atrapando a todos los traficantes y hay rumores de que hay por ahí un supermán pateándoles el trasero a todos los cuervos y los fgh. ¿no te habías enterado?

¿yo?, ¿por qué habría de enterarme?

ajá, sí, ¿por qué habrías de enterarte tú? por cierto, me dijo ben que ayer le dieron una paliza a nathan craig. que, al parecer, estuvo bastante fuerte. dice ben que unos de los chicos más grandes se enteraron de que había dado el pitazo sobre un negocio y que le dieron una lección.

¿ah sí?

ajá. además, los policías cacharon a yusef hashim con una pistola, dewayne desapareció y nadie lo ha visto durante días. qué gracioso, es como si todos los que tuvieron algo que ver con lo que me pasó, estuvieran atravesando una muy mala racha.

¿en serio? debe ser algo así como karma.

ajá, bueno… tú sólo ten cuidado, ¿ok?
aGirl xxx

yo siempre tengo cuidado. te veo después.
iBoy xxx

Justo en ese momento, cuando iBoy se sale de Bebo, Tom se levanta
y ve a un montón de FGH que caminan por Crow Lane. Sabe que son
FGH porque casi todos llevan puesta ropa de Adidas, una costumbre
que tienen. Son como ocho o nueve y se dirigen al sur. Poco a poco se
alejan de la zona infantil y se acercan más a Fitzroy House. La mayor
parte tiene como entre dieciséis y diecisiete años, pero también los
acompañan varios niñitos y un par de chicas.

Las chicas captan la atención de Tom.

Tienen como trece o catorce y ambas están vestidas con falditas y
mini tops. Ambas se esfuerzan por que parezca que se están divirtiendo
mucho. Gritan, ríen y juegan con los chicos. Pero hay algo en ellas que a
Tom le parece extraño. No está seguro de qué se trata, pero se da cuenta
de que la situación es bastante rara. Es la forma en que los chicos las miran, es una mirada fría y vacía a pesar de que les sonríen. También es la
forma en que las chicas se miran entre sí, como tratando de darse confianza, como diciendo, "*es* sólo un poquito de diversión, ¿no?"

Es la forma en que algunos de los chicos no dejan de mirar hacia
atrás mientras los otros mantienen rodeadas a las niñas, sin dejar que
se alejen…

Algo no anda bien.

Tom se levanta de la banca y comienza a seguirlos.

No reconoce a ninguno y está seguro de que ellos tampoco lo conocen a él. Son FGH y los FGH no se mezclan con los chicos de este
lado del conjunto. Por eso ni siquiera se molesta en encender su iPiel,
sólo los sigue como el ordinario Tom.

Durante un rato no pasa gran cosa.

Los chicos y las chicas continúan caminando, y cuando se acercan más a Fitzroy House, las niñas como que se quieren echar para atrás. Tratan de detenerse y volver un par de veces. Pero ellos las sujetan y las jalan por el camino. Todos siguen riendo y carcajeándose, hasta las chicas. Tom se pregunta si no se habrá equivocado. Tal vez *sí* se están divirtiendo un poco. Tal vez las chicas sólo están dándose a desear un poco. "O tal vez —piensa Tom de repente—, tal vez sólo eres tú. Quizá sólo sea el hecho de que eres un empedernido y patético romántico que cree que a la gente se le debe tratar con respeto. Porque vaya, a ti te crió una abuela soltera que se gana la vida escribiendo cursis historias de amor, ¿no es así? Y ella solía leerte esas historias de amor antes de dormir…"

"Dios —piensa y hace una pausa momentánea—, ¿acaso se trata de eso?, ¿de toda esa onda del caballero de armadura brillante?, ¿del superhéroe?, ¿de poner a los malos en su lugar, de salvar a damiselas en peligro, de cercenar dragones maléfico, ¿es eso lo que estoy tratando de hacer?"

No es un pensamiento muy agradable. De hecho, es algo vergonzoso. Y por un minuto o dos, Tom considera con mucha seriedad darse la vuelta y regresar a casa. ¿Por qué no? Sólo olvídate de las chicas, van a estar bien. Sólo olvídalas. Olvídate de todo. Sólo da la vuelta, regresa a casa y pasa el resto de la noche viendo porquerías en la televisión con Abue.

Y está a punto de hacerlo, a punto de dar la vuelta e irse a casa…

Pero entonces, ve la camioneta.

Es una camioneta Transit blanca que se acerca a toda velocidad por Crow Lane desde el lado norte. Cuando se acerca a los FGH, cuatro de ellos sujetan a las chicas y las arrastran hacia un lado de la calle. Al principio las chicas creen que ellos sólo quieren jugar otra vez, llevarse pesado, reírse un rato. Entonces las chicas gritan, los insultan un poco; forcejean y los enfrentan, pero en realidad no lo hacen muy en serio. Siguen pensando que se trata de un juego. Sin embargo, Tom sabe que no lo es. Lo sabe por el cambio de actitud en el rostro de ellos. Tienen los labios tensos, se mueven de manera rápida y furtiva, mirando hacia todos lados, verificando que no haya testigos.

Tom enciende la iPiel; cuando la camioneta se detiene a un lado de la calle, él ya va corriendo. Las puertas de atrás se abren y dos FGH más saltan de la parte de atrás y comienzan a ayudarles a los otros a jalar a las chicas a la camioneta. Ellas por fin se dan cuenta de que va en serio, fatalmente en serio. Más de doce tipos las están arrastrando hacia la parte trasera de una camioneta y ya nadie se ríe. Las chicas entran en pánico y tratan con desesperación de zafarse. Patalean, se retuercen, forcejean y tratan de gritar para pedir ayuda. Pero dos de los chicos les están tapando la boca.

iBoy corre lo más rápido que puede, sus pies golpean el pavimento con fuerza. Está como a diez metros de la camioneta cuando uno de los chicos lo ve y advierte a los demás. Se detienen para enfrentarlo y cuando se dan cuenta de que lo que los persigue es una especie de mutante fluorescente con capucha, se quedan parados, demasiado asombrados para actuar. Pero en ese momento, uno de ellos, un tipo con piel macabramente blanca, asqueroso y desagradable sobremanera, les gritó.

—¡Ustedes súbanlas a la camioneta! ¡Los demás vayan a traer a ese maldito! —El sonido de su voz pone a todos en acción.

Seis de ellos se dan la vuelta y forman una especie de línea detrás del asqueroso tipo. Se interponen entre iBoy y la camioneta. Los demás siguen jaloneando a las chicas para subirlas. iBoy sabe que ya no le queda mucho tiempo. Si logran subirlas y acelerar, será demasiado tarde.

Es por ello que no desperdicia tiempo en pensar qué hacer, sólo lo hace.

Sigue corriendo, va derecho contra el Asqueroso. Justo cuando lo alcanza, éste se saca una navaja del pantalón. iBoy aúlla como loco y se avienta contra el tipo; arroja una enorme descarga de electricidad. Se escucha un ¡CRACK! ensordecedor que atraviesa el aire. Por un instante, todo desaparece en medio de un rayo cegador color azul eléctrico. La energía y el calor son tan intensos que a iBoy se le achicharra el vello del brazo.

Se queda parado ahí durante algunos segundos en espera de que desaparezca de sus ojos la imagen del rayo. Luego mira al suelo y ve varios cuerpos ahí. Son siete. Algunos están semiinconscientes, se quejan débilmente, tosen, escupen y se tallan los ojos. Pero la mayoría están noqueados. Los cuerpos yacen en el suelo en una inmovilidad absoluta. El Asqueroso es al que peor le va. Está tirado a unos dos metros de iBoy con la cara quemada y las cejas ardiendo todavía. Su chamarra de nylon se fundió con su piel, y le sale sangre de las orejas, la nariz y la boca.

iBoy mira a los otros, a los que están en la camioneta con las chicas. Los dos que le quedan más cerca están arrodillados y todavía se cubren la cabeza con las manos. Otros dos ya van corriendo hacia Fitzroy House. Los últimos dos siguen sujetando a las chicas pero no hacen ni el intento de moverse.

—Déjenlas ir —dice iBoy.

Las sueltan y ellas se tambalean hasta donde está iBoy.

—¿Están bien? —les pregunta.

—Ajá, creo que sí —dice una de ellas mientras contempla los cuerpos que yacen en el piso. La otra no dice nada, sólo llora.

—¿En dónde viven? —le pregunta iBoy a la primera.

—En Disraeli.

—¿Pueden regresar solas a casa?

Ella asiente.

—¿Segura?

—Ajá.

—Entonces vayan —les dice con gentileza—. Van a estar bien, sólo vayan directo a casa, ¿de acuerdo?

Ella lo mira titubeante. iBoy se da cuenta de que su mirada está llena de preguntas: ¿quién eres?, ¿qué eres?, ¿qué les hiciste?

—Creo que lo mejor será que lleves a tu amiga a casa —le dice iBoy—. Está conmocionada.

—Ajá, sí, claro —dice la primera niña y luego se acerca a su amiga y la abraza. Le dice algo para animarla, se enjuga las lágrimas y luego mira a iBoy.

—Gracias —le dice sonriente—, en serio, quien quiera que seas, gracias.

Él le sonríe.

La chica asiente, da la vuelta y entonces ambas comienzan a caminar de regreso a casa.

iBoy las observa por un momento y se asegura de que estén bien. Luego da la vuelta y mira a los dos chicos que quedan en la camioneta. No se han movido.

—¿Están esperando algo? —les pregunta.

Ellos niegan con la cabeza.

—Bueno, entonces lárguense.

Ellos se van corriendo.

iBoy rodea la camioneta por el frente. La puerta del conductor está abierta pero no hay nadie allí. El conductor debe haber huido en algún momento. iBoy se inclina, saca las llaves y las deja caer al suelo. Coloca el dedo en la ranura y da un jalón rápido. El tablero se ilumina, el motor retumba y luego comienzan a salir unas chispas de debajo del cofre. En tan sólo unos segundos, sale humo del motor y aparecen unas llamaradas azules.

iBoy cierra la puerta de la camioneta, escupe al suelo y se va.

No mira hacia atrás.

10010

EL SUPERHÉROE DE CROW LANE

La policía local está preocupada por
los reportes acerca de un "superhéroe"
que combate el crimen en el conjunto
habitacional Crow Lane. Los testigos han
descrito varios incidentes en los que se ha
visto a un misterioso personaje tomar la
ley en sus manos en los alrededores del
conjunto de edificios.
Una residente que prefiere ocultar
su identidad, le dijo a la *Gaceta de Southwark*
que recientemente un hombre enmascarado
con un disfraz y capucha la salvó de un
ataque de pandilleros.
"Sólo salió de la nada", dijo. "Por un momento
vi un flashazo azul que me cegó y, de repente,
los pandilleros ya estaban huyendo".
Cuando se le preguntó a la policía si
apoyaba las acciones del "superhéroe", su vocero
contestó que "a pesar de que las intenciones
de este individuo son buenas, sus acciones son
incorrectas. La policía hace un enérgico llamado
en contra de todo tipo de acción ciudadana que busque
impartir justicia de manera independiente. Nosotros
le pediríamos a esta persona, quien quiera que sea,
que le permita a la policía hacer su trabajo".

http://www.southwarkgazette.co.uk/home/090410/local

El lunes, cuando abrí los ojos, sentía como si me estuviera despertando después de un sueño demasiado intenso, vívido y prolongado. Era una sensación muy extraña porque sabía que las cosas que en mi cabeza se sentían como recuerdos de sueño, en realidad eran recuerdos, los recuerdos de los últimos diez días. Además, también sabía que no había podido estar soñando durante diez días.

Pero sentía como si eso hubiera sucedido.

Me quedé un rato en la cama tratando de no pensar en ello, tratando de sentirme normal. Sin embargo, resulta muy difícil pensar cuando estás tirado en la cama, mirando al techo y demasiado consciente de que no quieres pensar. Además, resulta todavía más difícil sentirse normal cuando es tan obvio que no lo eres.

Así que, al final, me di por vencido.

Me levanté de la cama, me di un baño y me vestí.

Cuando entré a la cocina, Abue estaba sentada en la mesa y tenía en las manos un estado de cuenta bancario.

—Buenos días, Abue —le dije cuando me senté—. ¿Cómo estás?

—¿Qué es esto, Tommy? —me dijo con mucha seriedad.

—¿Disculpa?

—Esto —repitió, ondeando el estado de cuenta frente a mí—. El 31 de marzo se registró un depósito anónimo de quince mil libras a mi cuenta bancaria.

Me miró con insistencia.

—¿Sabes algo al respecto?

—¿Yo? —dije fingiendo sorpresa e indignación. Pero al mismo tiempo, dentro de mi cabeza me estaba dando de patadas por haberme olvidado del asunto—. No sé de qué estás hablando.

—Estoy hablando de esto —dijo al mismo tiempo que me pasaba el estado de cuenta y señalaba el depósito—. ¿Lo ves? Alguien depositó quince mil libras en mi cuenta.

Le sonreí.

—Bueno, eso está súper bien, ¿no?

Volvió a mirarme muy enojada.

—No. Si no sé quien lo hizo ni para qué, no está bien.

Me encogí de hombros.

—¿Y eso importa? Es decir, dinero es dinero…

—No, Tommy, claro que *importa*.

Miré el estado de cuenta.

—Tal vez lo depositaron tus editores —le comenté—. Tal vez es un bono o algo así.

—¿Un *bono*?

Volví a encoger los hombros.

—Pues yo no puedo estar seguro, ¿verdad?

—No, no es de mis editores. Ya lo verifiqué. En el banco tampoco me pueden decir quién lo hizo —me miró de nuevo—. ¿Estás *seguro* de que no sabes nada al respecto?

—No, ¿por qué?

Abue vaciló un poco.

—¿Qué? —le pregunté.

Me miró directo a los ojos.

—Si estuvieras en algún problema, me lo dirías de inmediato, ¿verdad?

—¿Problema?, ¿qué tipo de problema?

Sacudió la cabeza con incredulidad.

—Mira, sé que es muy difícil para ti. Me refiero a vivir en este sitio. Es muy sencillo involucrarse con la gente incorrecta.

—Abue —le dije, en verdad muy desconcertado—, en serio no sé de qué estás hablando.

Extendió su brazo y puso su mano sobre la mía.

—Sólo dime la verdad, Tommy. ¿Conseguiste el dinero en algún lugar y luego lo pusiste en mi cuenta?

Lo negué con la cabeza.

—¿De dónde podría sacar tanto dinero?

—Aquí en Crow Town, ¿de qué forma consigue, *cualquier persona*, esa cantidad de dinero?

Me la quedé viendo.

—¿Acaso crees que estoy vendiendo drogas?

Se encogió de hombros.

—Sólo te estoy preguntando.

—Por Dios santo, Abue —dije muy enojado—, ¿en verdad crees que haría algo así?

—¿Entonces no lo estás haciendo?

—No —respiré hondo—, no estoy vendiendo drogas.

—¿Y tampoco estás robando o haciendo cosas así?

Volví a respirar.

—¿Cómo se te pudo siquiera llegar a *ocurrir* algo así?

—Lo siento, Tommy —dijo—, pero es que a veces sucede. Le puede pasar a cualquier persona. Hasta a alguien como tú. Es decir, yo *sé* que de verdad eres una buena persona, un chico de verdad muy decente, y *sé* que me quieres. Pero, *precisamente* porque sé que me quieres, también sé que estarías dispuesto a hacer cualquier cosa con tal de ayudarme. Y bueno, sé que si te hubieras llegado a enterar de que estaba en dificultades económicas, podrías haber llegado a hacer algo incorrecto para ayudarme. ¿Entiendes lo que te digo?

—Sí, sí, claro que entiendo. Pero no he hecho nada malo.

Abue me miró, asintió con la cabeza y luego recogió varias cartas que estaban en la mesa.

—Ésta —dijo al mismo tiempo que me mostraba una de las cartas— es la confirmación de que mis deudas de impuestos con el Ayuntamiento, fueron saldadas —colocó el papel en la mesa y me mostró otro—. Éste es un estado de cuenta que dice que ya estoy al corriente con la renta —me miró de nuevo—. ¿Tú sabías que yo debía todo este dinero?

—No —le mentí.

—¿Tú pagaste estas deudas?

—No.

—¿Estás seguro?

Asentí.

Abue suspiró.

—Bueno, pues alguien lo hizo y no fui yo.

158

No se me ocurría qué decir, así que sólo me quedé ahí sentado con cara de inocente.

Abue también se quedó en silencio un rato mirando las cartas. De repente negó con la cabeza, y luego me dijo:

—Mira, Tommy, siento mucho haberte molestado u ofendido, pero es que tenía que preguntarte. No es que no confíe en ti, tú sabes que confío. Y bueno, incluso si *estuvieras* involucrado en algo ilegal, te seguiría queriendo —me sonrió—. Además, sabes que *sí* has estado actuando un poco raro últimamente.

—¿A qué te refieres?

—Bueno, es que, o te pasas todo el día en tu cuarto haciendo sólo Dios sabrá qué, o sales a la calle, en especial por la noche. Además te ves preocupado, demasiado preocupado por todo. Y siempre estás cansado.

—Es que he estado estudiando mucho.

—¿Estudiando?

Asentí.

—Sí, en mi cuarto, en la biblioteca. Como falté mucho tiempo a la escuela, pensé que tenía que ponerme al día por mi cuenta.

Abue me frunció el ceño.

—¿En serio?

—Ajá, ¿qué pasa?, ¿no me crees?

—Bueno, no estoy diciendo que *no te crea*.

—Vamos, hazme una prueba.

—¿Disculpa?

—Puedes hacerme una prueba. Te voy a *demostrar* que sí he estado estudiando.

Se rió.

—No tienes que *demostrarme* nada.

—No, vamos —insistí—, he estado estudiando historia británica de la posguerra. Pregúntame algo.

—No seas tonto, Tommy, te creo.

—Historia de la posguerra —repetí—, de 1946 a la fecha.

—No voy a…

—Cualquier pregunta que se te ocurra.

—Está bien —dijo Abue un poco abrumada—, si insistes.

—Sí, sí insisto.

—Okey, dame un minuto para pensar…

Mientras ella pensaba en una pregunta, entré a mi cabeza y abrí Google. Claro que ahora esto me hacía sentir bastante asqueado de mí mismo. Deseaba no haberme metido en todo este asunto de mentirle, para empezar. Deseaba poder decirle a Abue la verdad. Toda la verdad. Pero no podía, ¿o sí? ¿Cómo podría decirle que su nieto ya no era normal, que tenía superpoderes y que los usaba para encontrar y castigar al mundo de gente que había golpeado y violado a Lucy. El mundo de los hermanos O'Neil, de Paul Adebajo y de DeWayne Firman, el mundo de Jayden Carroll, de Yusef Hashim y de Carl Patrick. El mundo de Howard Ellman.

¿Cómo podría decirle eso a Abue?

¿Y cómo podría decirle que en ese preciso momento su nieto comenzaba a tener miedo de estar perdiendo toda noción de compasión que alguna vez pudo haber tenido, y que, además, también estaba pensando que había empezado a perder la razón?

¿Cómo podría decirle eso?

No podía, ¿verdad?

Sencillamente no podía.

Y me odiaba por eso.

—¿Quién era el primer ministro en 1956?

Miré a Abue.

—¿Cómo?

—Me *pediste* que te hiciera una pregunta —dijo—, acerca de historia de la posguerra.

—Ah, sí, claro.

—Ésa es mi pregunta: ¿quién era el primer ministro en 1956?

Busqué en mi cabeza y visité un sitio en donde se enlistaba a los primeros ministros británicos:

...Eden reemplazó a Winston Churchill en el cargo de primer ministro en abril de 1955. Después, ese mismo año, asistió a una cumbre en Ginebra, en la que participaron los jefes de gobierno de Estados Unidos, Francia y la Unión Soviética...

—Sir Anthony Eden —contesté.

Abue se veía sorprendida.

—Muy bien.

—El 10 de enero de 1957 lo reemplazó Harold Macmillan —añadí—. Eden pasó los últimos años de su vida escribiendo sus memorias, las cuales fueron publicadas en tres volúmenes entre 1960 y 1965. También escribió un recuento de sus experiencias durante la guerra al que tituló *Otro mundo*. La obra fue publicada en 1976 —le sonreí a Abue—. Murió en 1977.

Abue sacudió la cabeza con incredulidad.

—*En serio* has estado estudiando.

—Te lo dije, ¿no?

—Estoy impresionada.

"Pues no deberías" pensé.

—Sí, bueno —dije al mismo tiempo que veía el reloj en la pared—, me voy otra vez a la biblioteca, si no te molesta —le sonreí—. Tengo otras cosas que estudiar.

Asintió.

—Creo que yo también debería ponerme a trabajar.

—¿Cómo va el libro? —le pregunté.

—Más o menos —me sonrió—, tal vez los editores sí lleguen a darme un *bono* por éste.

—Muy graciosa —le dije.

Sonrió.

Me puse de pie.

—Te veo más tarde, ¿de acuerdo?

—Está bien, pero no te quedes mucho tiempo allá. Te ves cansado.

—Regreso en un par de horas —le dije en mi camino a la puerta—, te lo prometo.

—Oye, Tommy.

Me detuve y volteé a verla.

—¿Ajá?

—Lo siento mucho. Siento haber dudado de ti.

—No tienes por qué disculparte, Abue. En serio, está bien.

—Lo sé, pero, *lo siento.*

Me sentía demasiado mal para decirle algo más. ¿Qué podría agregar? Me ofrecía disculpas por no confiar, pero tenía toda la razón para dudar de mí. Le estaba mintiendo, estaba traicionando su confianza. Yo debería ser quien se disculpara.

En ese momento estuve a punto de confesarle todo.

Porque me sentía tan asqueado de mentirle y de hacerla sentirse mal respecto a sí misma, que estuve a punto de decirle la verdad a pesar de lo difícil que sabría que sería.

Pero en ese momento, justo cuando se comenzaban a formar las frases en mi mente, sonó el timbre y, antes de que pudiera decir algo, Abue se levantó de la mesa y caminó por el pasillo para abrir la puerta.

—Ah, es usted —la escuché decir—, ¿qué se le ofrece?

—Buenos días, señorita Harvey —escuché que decía una voz masculina que me sonaba vagamente conocida—. ¿Está su nieto en casa?

Me tomó un momento reconocer a los dos hombres que venían siguiendo a Abue a la cocina. La última vez que los había visto fue en el hospital, cuando acababa de despertar de otro sueño que no era un sueño. Era el no-sueño acerca de Lucy (*"Una joven de quince años fue violada por una pandilla en el conjunto habitacional Crow Lane"*), el cual me había dejado en aquella ocasión, por obvias razones, un tanto abrumado. Pero ahora, los dos hombres estaban ahí de pie mirándome, ofreciéndome esas sonrisitas que, supuestamente, tendrían que hacerme sentir cómodo, y claro, yo ya no estaba tan confundido como para no recordarlos.

162

El alto y rubio, el de mal cutis y dientes manchados por el cigarro, era el Sargento Johnson. El otro era el agente Webster y, francamente, era tan poco memorable que era imposible recordarlo por algún rasgo.

—Hola, Tom —dijo Johnson—, ¿cómo te va?

Miré a Abue.

Ella como que medio se encogió de hombros.

—Lo siento, Tommy, quieren hacerte algunas preguntas. Puedes negarte si así lo deseas.

Entonces volteé a ver a Johnson.

—¿Preguntas sobre qué?

Se sentó a la mesa sin pedir permiso.

—Entonces, Tom —dijo en un tono casual en exceso—, ¿cómo va tu cabeza? Te quedó una linda cicatriz —sonrió y me guiñó el ojo—. A las chicas les va a gustar, ¿sabes?

—Ajá —dije—, las neurocirugías enloquecen a las chicas, ¿verdad?

Su sonrisa se desvaneció y, por un momento, lució algo avergonzado. Inhaló y aclaró la garganta.

—Muy bien —dijo—, la razón por la que estamos aquí…

Miró a Abue.

—¿Gusta sentarse, señorita Harvey?

—Es muy amable de su parte —dijo Abue—, pero estoy bien aquí, gracias.

Abue miró a Webster, quien estaba de pie detrás de Johnson con una libretita y un lápiz en las manos.

—¿A *usted* le gustaría sentarse? —le preguntó.

—No —masculló mirando a Johnson—. No, estoy bien aquí, gracias.

Johnson le frunció el ceño a Abue, todavía sin saber si estaba siendo sarcástica o no. Entonces, después de echarle una rápida mirada al agente Webster, volvió a verme.

—Bien, pues como te decía, la razón por la que estamos aquí es que, básicamente, nos gustaría hacerte algunas preguntas más acerca de tu accidente.

—No fue un accidente.

—No, lo sé. Bueno, en realidad todavía no sabemos si fue un accidente o no, pero queremos asumir que no lo fue. Creemos que tal vez el celular que causó tus heridas fue arrojado por la ventana durante el ataque a Lucy y Ben Walker.

—Ajá —dije—, así fue.

—¿Tú viste cuando lo arrojaron?

Asentí.

—Pero no pude ver quién lo hizo. El sol me daba directo a los ojos. Sólo vi que había alguien en la ventana.

—¿Lo puedes describir?

Negué con la cabeza.

—No, estaba demasiado lejos.

—¿Era un hombre, un chico?

—Creo que era un chico.

—¿Blanco o negro?

—No lo sé.

—¿Como de qué edad?

—No podría decirlo.

—Está bien. Pero estás seguro de que viste a un chico en la ventana y crees que te aventó el teléfono, ¿no es así?

—Ajá.

—¿Qué hora era?

—Diez para las cuatro.

Johnson levantó las cejas.

—Eso es bastante preciso.

Me encogí de hombros.

—Es que recuerdo que vi el reloj antes de que sucediera, y eran diez para las cuatro.

Asintió.

—Bien. Entonces acababas de salir de la escuela, ¿así es?

—Ajá.

—¿Y a dónde ibas?

—A casa.

—De acuerdo, ¿venías para acá?

—Sí.

—Muy bien —miró a Webster, quien estaba ocupado escribiendo todo lo que yo decía. Luego volvió a mirarme—. ¿Estabas al tanto del ataque que estaba teniendo lugar en el departamento del piso treinta?

—No.

—¿Te enteraste después?

—Así es.

—Por favor recuérdame, ¿cómo te enteraste del ataque?

—Fue cuando estaba en el hospital —le dije mirándolo directo a los ojos—. Estaba en los baños y alguien había dejado ahí una vieja copia de la *Gaceta de Southwark*. En el periódico había un reportaje sobre el ataque.

Johnson asintió y miró a Webster. Webster revisó su libretita, verificó algo y luego le asintió a Johnson.

Johnson volvió a mí.

Entonces le dije:

—¿Ya los atraparon?

—¿Disculpa?

—A los muchachos que violaron a Lucy, ¿ya los atraparon?

Vaciló por un momento y dijo:

—Me temo que no podemos revelar ningún detalle porque la investigación todavía continúa.

—Todavía no los tienen.

Respiró hondo.

—Estamos esforzándonos, Tom, pero en este tipo de casos, bueno, es difícil. Ya sabes cómo son las cosas por aquí. La gente no quiere cooperar, tiene miedo —me miró—. Tú conoces a Lucy Walker, ¿verdad?

Asentí.

—Crecimos juntos.

—Creo que la has ido a visitar últimamente, ¿es correcto?

—¿Quién le dijo?

—¿Cómo está ella? —dijo, ignorando mi pregunta—, ¿qué tal está afrontando la situación?

Me encogí de hombros.

—Supongo que de la mejor manera posible, dadas las circunstancias.

Me miró.

—¿Te ha hablado respecto a lo que sucedió?

Miré a Abue porque no sabía qué decir.

Ella miró a Johnson.

—Creo que cualquier cosa que Lucy y Tommy hayan platicado es un asunto entre ellos. Ahora, ¿tiene alguna otra pregunta? Porque si ya acabó…

—Yo le avisaré cuando haya terminado, señorita Harvey —dijo Johnson al mismo tiempo que dejaba de verla y volteaba hacia mí—. Me gustaría preguntarles a ambos respecto a una serie de incidentes que se han suscitado en Crow Lane la última semana, más o menos.

—¿Incidentes? —dijo Abue—. ¿Qué incidentes?

Johnson seguía mirándome.

—Últimamente, varios de los individuos de cuya participación o conocimiento sobre el ataque a Lucy y Ben sospechábamos, han sido, en mayor o menor grado, objeto de abusos.

Le fruncí el ceño.

—¿Podría repetir eso, por favor?, ¿en un idioma que entendamos?

Johnson se me quedó viendo.

—Ya me escuchaste. Alguien ha estado tomando la ley en sus manos. ¿Sabes algo al respecto?

—No —le dije.

Miró a Abue.

—¿Señorita Harvey?

Ella se veía desconcertada.

—¿Quiere decir que alguien ha estado atacando a los chicos sospechosos de violar a Lucy?

—Bueno, las cosas son un poco más complicadas, pero como nadie quiere cooperar con nosotros, la mayor parte de la información con la que contamos está demasiado fragmentada, por decir lo menos. Sin embargo, creemos que alguien, muy probablemente de por el rumbo, podría haber estado dañando a cualquiera que esté involucrado con las pandillas locales.

Volvió a mirarme.

—Por eso, pensamos que quizá se trata de alguien que le tiene algún tipo de resentimiento a las pandillas. Tal vez es alguien que está tratando de vengarse.

Me reí con discreción.

—¿Qué?, ¿y usted cree que podríamos ser Abue o yo?

Johnson se encogió de hombros.

—Sólo te estoy preguntando si sabes algo, Tom. Eso es todo. Tú eres amigo de Lucy, tal vez conoces a alguien que desea castigar a la gente que la lastimó. ¿Conoces a alguien así?

Negué lentamente con la cabeza.

—No, no se me ocurre nadie. Y, además, ¿cómo podrían saber quién lo hizo? Es decir, ¿cómo podría, la persona que lo está haciendo, saber a quién atacar?

Johnson volvió a encoger los hombros.

—Tu duda es tan válida como la mía. Tal vez Lucy le dijo a esa persona, o tal vez lo hizo Ben. Tal vez esa persona presenció el ataque pero tiene demasiado miedo para decirlo. O tal vez sólo haya estado escuchando los rumores que corren por todo el conjunto. O tal vez esa persona *no* sabe quién lo hizo, y solamente asume que fueron los Cuervos o los FGH.

—Esto ya se está poniendo ridículo, ¿no es así? —suspiró Abue.

Johnson la miró.

—¿Usted cree?

—Sí.

—¿Y por qué, señorita Harvey?

—Bien, pues para empezar —dijo Abue, levantando un dedo—, las pandillas *siempre* se están peleando unas contra otras. Es a lo que se dedican, a golpearse, acuchillarse, dispararse. Es lo que han hecho durante cientos de años y lo que seguirán haciendo hasta que todas desaparezcan, cosa que no sucederá nunca. Entonces, no veo por qué a usted de repente se le ocurre que esos incidentes puedan *significar* algo. Tampoco entiendo por qué pierde su tiempo buscando a alguien que ataca a los tipos malos, cuando usted mismo no ha sido capaz de encontrarlos.

—Bueno —comenzó Johnson a explicar—, como ya le dije...

—Y en segundo lugar —dijo Abue, levantando dos dedos—, incluso si por ahí afuera anduviera un vengador anónimo, cosa que dudo mucho, no puedo entender qué tendría que ver con nosotros —se quedó mirándolo fijamente—. ¿A usted le *parece* que yo soy el tipo de persona que puede andar por ahí aterrorizando gángsters?

Johnson negó con la cabeza.

—Yo nunca dije que...

—¿Usted cree que Tommy lo es? Es decir, apenas se está recuperando de una operación que puso en riesgo su vida, por Dios santo. Y aun si no fuera así, mírelo, no podría aterrorizar ni a una mosca —me sonrió—. Sin ofender, Tommy.

—No me sentí ofendido, Abue.

Abue se volvió hacia Johnson.

—Así que, a menos de que tenga algo más relevante que...

—Ayer por la noche fueron atacados varios jóvenes cerca de Fitzroy House —dijo con severidad, mirándome—. Dos todavía están en el hospital; uno de ellos, en condición crítica. Una camioneta fue incendiada en el ataque. Tenemos un testigo que dice haberte visto ayer en la zona infantil minutos antes del ataque. ¿Tú lo niegas?

—No, ahí estaba.

—Espera, Tommy —dijo Abue y volteó hacia Johnson—, ¿qué sucede aquí? Usted no puede nada más...

—Sí, sí puedo, señorita Harvey. Su nieto es testigo potencial de un ataque muy serio que podría terminar siendo un caso de asesinato. Necesito hacerle algunas preguntas. ¿Está bien?

Abue me miró.

—Está bien, Abue —le dije.

—¿Estás seguro?

Asentí.

Johnson me dijo:

—¿Viste lo que sucedió?

—No.

Chasqueó la lengua y suspiró.

—*Vamos*, Tom, estuviste ahí. *Sé* que estuviste ahí.

—Sí, estuve en la zona de juegos —le dije—, pero no fue por mucho tiempo. No vi que pasara nada en Fitzroy House. No me alejé de donde estaba.

—¿No *viste* nada? —preguntó con incredulidad—. ¿Cómo es posible que *no* hayas visto nada? Había como doce chicos FGH. A seis de ellos los golpearon, debe haber sido una pelea infernal. Y aunque no hubieras visto nada de eso, ¡por Dios!, también incendiaron una camioneta. ¿De verdad quieres que crea que no *viste* nada?

—No vi nada —le respondí apaciblemente.

Respiró hondo y exhaló con lentitud.

—¿Puedo ver tus manos, por favor?

—¿Qué?

—Muéstrame tus manos, por favor. Me gustaría ver la palma de tus manos.

—¿Para qué? —preguntó Abue.

Johnson suspiró.

—Por favor, señorita Harvey, podemos hacer esto aquí, con tranquilidad y sin interrupciones o puedo llevarme a Tom a la estación conmigo. En ese caso, se perderá mucho tiempo; lo único que quiero hacer es eliminar a Tom de nuestras investigaciones. Créame, si es inocente, no tiene nada de qué preocuparse.

Abue me miró.

—Depende de ti, Tommy.

Me encogí de hombros y dije:

—Está bien.

Extendí las manos con las palmas arriba para que Johnson las revisara. No las tocó, sólo se agachó y miró con mucho cuidado. Creo que hasta las olió un poco.

—Voltéalas, por favor —dijo.

Hice lo que me pidió.

—¿Qué te pasó aquí? —preguntó al mismo tiempo que señalaba un claro de vello quemado que tenía en el antebrazo.

—Nada —encogí los hombros—, sólo me acerqué mucho al fuego, eso es todo.

—¿Qué fuego? —preguntó Johnson asomándose a ver el radiador que estaba junto a la pared.

—En casa de Lucy —le dije—, ella tiene un calentador eléctrico y me senté demasiado cerca.

Se me quedó viendo un momento; la incredulidad se veía en sus ojos. Luego, sólo dijo:

—Gracias, ahora sólo unas cuantas preguntas más y te prometo que eso será todo. ¿Está bien?

—Sí, no hay problema.

—De acuerdo —dijo, vacilando un poco—. Necesito saber, y tal vez te pueda sonar un poco extraño, pero necesito saber si tienes alguna máscara.

—¿Una máscara? —dije—. ¿A qué se refiere?

—Sí, una máscara, una máscara de juguete. De Supermán, del Hombre Araña, algo así.

Abue se rió.

—¿Eso es lo que buscan?, ¿a Supermán? —se volvió a reír— ¿De verdad creen que Supermán se va a mudar de Ciudad Gótica a Crow Town?

—Ése es Batman, Abue —le dije.

—¿Cómo?

—Que Batman es el que vive en Ciudad Gótica, no Supermán.

—¿En serio?, ¿y entonces en dónde vive Supermán?

—No sé.

170

—En Metrópolis —dijo Webster.

Todos volteamos a verlo.

Se sonrojó un poco y dijo:

—Supermán vive en Metrópolis.

—Por Dios santo —suspiró Johnson—, ¿podríamos permanecer en el mundo real, por favor? —me miró de nuevo—. Tom, ¿podrías solamente contestar la pregunta por favor?

—Disculpe —dije sonriendo—, ¿cuál era la pregunta?

—Que si tienes alguna máscara.

—No —le dije, todavía con la sonrisa en la boca—. No tengo máscaras.

—¿Te molestaría que el agente Webster echara un vistazo en tu habitación?

—No, no hay ningún problema —volteé para señalarle por dónde entrar, pero Webster ya estaba saliendo de la cocina. Abue lo siguió, pero Webster dijo—: Está bien, Señora H. Yo puedo encontrarlo, gracias —y cerró la puerta de la cocina detrás de sí.

Cuando volteé a mirar a Johnson, me preguntó:

—Tom, ¿sabes lo que es una Taser?

En un instante apareció un artículo de un sitio de Internet en mi cabeza:

La Taser es un arma de electrochoques que, por medio de corriente eléctrica, interrumpe el control voluntario de los músculos. El fabricante, Taser International, denomina al efecto, "discapacidad neuromuscular", y al mecanismo, "Tecnología de interrupción electro-muscular" (EMD, por sus siglas en inglés). El individuo que recibe la descarga de una Taser sufre la estimulación de las terminaciones nerviosas sensibles y de los nervios motores, lo cual tiene como resultado contracciones musculares involuntarias…

—Ajá —contesté—, sí sé lo que es una Taser.

—¿Alguna vez has visto una?

171

—No.

—¿Conoces a alguien que posea una o que haya *visto* una?

—No.

—¿No te da curiosidad por qué te estoy preguntando sobre las Taser?

—La verdad, no.

No dijo nada durante un rato, sólo se quedó sentado en la silla con los brazos cruzados mirándome. Casi podía escuchar como hacía tic-tac su cabeza, cómo trataba de esforzarse en intuir si le estaba diciendo la verdad o no. Y si no, ¿por qué no?, ¿sabría yo algo?, ¿estaría demasiado asustado para hablar?, ¿qué podría estar ocultando?, ¿a quién podría estar protegiendo?

Vacié mi cabeza, vacié mis ojos y lo miré.

El agente Webster regresó un par de minutos después. Johnson lo miró y alzó las cejas como esperando alguna respuesta. Webster negó con la cabeza y le hizo saber que no había encontrado ninguna máscara de superhéroe ni ninguna Taser en mi cuarto.

Johnson suspiró y se puso de pie.

—Está bien, Tom, eso es todo por ahora. Muchas gracias. Estaremos en contacto.

—Siento mucho que hayas tenido que pasar por todo eso —me dijo Abue después de acompañar a Johnson y a Webster a la salida—. ¿Estás bien? Te ves muy cansado.

—Sí, lo estoy, también tengo un fuerte dolor de cabeza. Tal vez deba irme a acostar un rato.

—Sí, eso deberías hacer. ¿Todavía tienes las pastillas para el dolor de cabeza que te recetó el doctor Kirby?

Asentí.

—Muy bien —dijo—, entonces tómate dos y vete a la cama. ¿Necesitas algo más antes de acostarte?

—No, gracias —le dije y me levanté.

Abue me abrazó y me besó en la cabeza. Caminé por el pasillo hasta mi cuarto.

En verdad estaba cansado. Había sido por todas las preguntas, por el esfuerzo para responderlas y, además, por decirle tantas mentiras a Abue. Había requerido de toda mi energía.

Eso y todo lo que había sucedido en los últimos diez días.

Estaba acostado en la cama, pensando en tantas cosas, tantas dudas. ¿Qué sabía Johnson?, ¿qué sospechaba?, ¿qué pensaba?, ¿qué iba a hacer respecto al dinero en la cuenta de Abue?, ¿qué iba a hacer respecto a *todo*? Sabía que tenía que empezar a pensar en las respuestas en ese preciso instante. Tenía que comenzar a escanear, *hackear*, buscar, escuchar…

Pero en cuanto cerré los ojos, se acabó.

Caí en un profundo sueño sin sueños.

10011

Nadie nos puede salvar sino nosotros mismos. Nadie puede y nadie lo hará. Nosotros debemos hacer el camino.

BUDA

Debí haber estado aún más cansado de lo que pensaba porque, cuando desperté, y cuando mi cerebro comenzó a funcionar adecuadamente, me di cuenta de que eran las 11:26:54 del día siguiente.

Había dormido durante casi veinticuatro horas.

Y *todavía* me sentía cansado.

Pero al menos parecía que la ensoñación sin sueño se había ido.

De hecho, me sentía bastante normal.

Casi...

En la cocina había una nota de Abue en la que me decía que había salido de compras y que regresaría en un par de horas.

Me preparé pan tostado.

Lo comí.

Me preparé un poco más porque tenía *muchísima* hambre.

También me lo comí.

Bebí un poco de jugo de naranja.

Encendí la televisión... la apagué.

Y entonces, aún no muy preparado para hacer algo más, fui a la ventana y miré el conjunto desde ahí. Era un día muy lindo. Se veía claro y fulgurante. El sol brillaba y los pájaros cantaban. De hecho, el conjunto se veía bastante menos deprimente que de costumbre.

No sucedía gran cosa. Unos niñitos andaban en bicicleta, un anciano con un sombrero viejo y maltratado, paseaba a su perro, y del otro lado de Crow Lane había un grupo de niñas que cantaban y bailaban con sus iPods.

Se respiraba algo raro en el conjunto, raro pero positivo. Es difícil describirlo, pero se sentía como familiar y desconocido al mismo tiempo, como si, de alguna manera, todo fuera como siempre había sido. Los mismos edificios, las mismas calles, los mismos colores, formas... pero también algo más allá de la realidad física del conjunto había cambiado.

¿O tal vez era sólo el clima?

¿O sólo yo?

¿O tal vez no era nada?

Era sólo uno de esos días.

Después de un rato volví a mi habitación, me recosté y, con un poco de reticencia, cerré los ojos.

En realidad no quería surfear en la red ni ser iBoy ese día. Para ser francos, estaba harto. Estaba harto de saberlo todo y de no saber nada. Me sentía asqueado de lastimar a la gente, asqueado de todos los secretos, las mentiras y la inexorable inutilidad de lo que estaba tratando de hacer, fuera lo que fuera.

Ése era el punto. ¿Qué *estaba* tratando de hacer? ¿Destruir al Diablo y a sus secuaces? ¿Librar al mundo de toda la violencia y el mal? ¿Convertir el Infierno en Paraíso?

Eso nunca iba a suceder, ¿verdad?

Para empezar, como Abue decía, las pandillas *siempre* están peleando unas contra otras. Es a lo que se dedican: pelear, violar, asesinar. Es lo que han hecho durante cientos de años y lo que seguirán haciendo hasta que todas desaparezcan, cosa que no sucederá nunca. Porque siempre habrá pandillas de un tipo o de otro: tribus, familias, religiones, naciones, hinchadas... Porque, sencillamente, los humanos son animales sociales. Nos organizamos en grupos de manera natural;

buscamos la protección y la seguridad de la manada. En los grupos encontramos seguridad, estatus y objetivos. Y para reforzar todo aquello que recibimos del grupo, enfrentamos, matamos y violamos a individuos de otros grupos.

Es a lo que se dedican los humanos.

¿Cómo podía siquiera imaginar que podría cambiar eso?

Además, si lo único que aparentemente trataba de hacer era mandar a Howard Ellman al caño, ¿qué iba a hacer cuando lo encontrara?, ¿o cuando él me encontrara a mí?

¿Lo mataría?, ¿lo encerraría para siempre?, ¿lo golpearía?, ¿le freiría los sesos?, ¿era capaz de hacerlo?, ¿era ese tipo de persona? Además, hiciera lo que hiciera, ¿realmente creía que podía lograr cambiar algo? Lo que le hiciera a Ellman, ¿impediría que las demás personas dejaran de hacer cosas terribles?

Claro que no.

Por si fuera poco, estaba asqueado de todo porque sólo quería ser normal de nuevo. Quería ser un chico ordinario que hace cosas ordinarias. Quería ir a la escuela, preocuparme por los barritos, sentirme feliz o miserable por tonterías. No quería ser diferente, no quería saber todo, no quería tener un cerebro mutante que estaba en constante evolución, que no dejaba de absorber más y más información, que no dejaba de inyectarme una interminable sensación de sabiduría.

¿Qué dije?, ¿sabiduría?

Tenía dieciséis años, ¿qué podía saber acerca de la sabiduría?

Sólo quería ser normal.

También quería ser normal con Lucy. Quería volver a ser Tom Harvey para ella, no iBoy, sólo Tom. Quería que el Tom real la emocionara tanto como el falso yo que hablaba con ella en Bebo. Quería gustarle por lo que era; quería que nos sintiéramos estúpidos, divertidos y apenados juntos. Quería que, tanto yo como ella, fuéramos como solíamos ser. Quería que fuéramos nosotros.

Pero, al igual que todo lo demás, eso no iba a suceder, ¿verdad?

Yo ya no era *sólo* Tom. No era como solía ser.

Y tampoco Lucy.

hey iBoy, ¿viste el artículo de la gaceta? ¡eres famoso! ¡un superhéroe superestrella! ¡y yo te conozco! pero no te preocupes, tu secreto está a salvo conmigo.
aGirl xxxxxx

iBoy no contestó.
No se lo permití.
Yo era Tom…
Estaba perdiendo la razón.
Para distraer a mi perdida razón de todo por un rato, dejé de pensar las cosas de manera consciente y me concentré en dejar que mi iCerebro analizara los hechos, los datos duros, llanos y sin adornos de lo que había estado haciendo los diez días anteriores.
Lo que iBoy había estado haciendo.
Lo que *ambos* habíamos estado haciendo.
Lo que habíamos hecho.
A quiénes se lo habíamos hecho.
En dónde estaban ellos ahora.
En qué estado se encontraban.
Y así…
Sabía que era tan inútil como todo lo demás, pero de todas formas decidí hacerlo. Y el resultado fue el siguiente:

1. En los últimos siete días, los crímenes registrados en el conjunto Crow Lane disminuyeron en un 67%.
2. Yusef Hashim fue arrestado por posesión de un arma de fuego sin licencia, y se encontraba libre bajo fianza.
3. Nathan Craig estaba en el hospital recuperándose de tres costillas rotas y ruptura en el bazo.
4. Carl Patrick fue arrestado y estaba bajo custodia policial por el apuñalamiento de Jayden Carroll.

5. Jayden Carroll salió del hospital tras haber sido sometido a una cirugía del estómago.
6. DeWayne Firman había desaparecido tras la publicación, en su página de MySpace, de repugnantes e insultantes comentarios sobre Howard Ellman.
7. Paul Adebajo fue arrestado por posesión e intento de tráfico de drogas Clase A.
8. Big y Little Jones comenzaron a ser investigados por la Unidad Contraterrorista después de que en YouTube apareciera un video en el que se les veía planeando un atentado suicidó con bombas.
9. Troy O'Neil, Jermaine Adebajo y el coreano gordo (cuyo nombre era Sim Dong-ni, o Dong para sus amigos) estaban en custodia de la policía y en espera de ser juzgados por varios delitos, incluyendo posesión de drogas Clase A, planes para su distribución y posesión de armas de fuego sin licencia.

Y así, y así, y así, y así…
Había hecho bastante.
Habíamos hecho bastante.
¿Pero en verdad habíamos logrado algo?
No.
¿Habíamos convertido el Infierno en un Paraíso?
No.
¿Habíamos encontrado a Howard Ellman?
No.
¿Habíamos logrado que Lucy Walker se sintiera mejor?
Posiblemente…
¿Yo había empezado a creer que ella se estaba enamorando de iBoy?
Mierda.

10100

...completamente ser un tonto
mientras la Primavera está en el mundo

mi sangre aprueba,
y los besos son un mejor destino
que la sabiduría

E. E. Cummings
"porque el sentimiento es primero" (1926)

A las 19:45:37 de esa tarde estaba de pie frente a la puerta de Lucy. Estaba recién bañado y me acababa de poner ropa limpia. El corazón me latía con fuerza, con la esperanza de que todo sería perfecto.

Había estado ocupado toda la tarde.

Ya tenía todo listo.

Ahora lo único que tenía que hacer era atreverme.

Respiré hondo.

Exhalé lentamente.

Luego estiré el brazo y toqué el timbre.

Había planeado verme muy *cool* cuando Lucy abriera la puerta. Ya saben, como que no era algo planeado, como que sólo pasaba por aquí: "... *me preguntaba si, tal vez, si te gustaría... bla, bla, bla...*"

Pero claro, no sucedió de esa manera.

En lugar de eso, en cuanto abrió la puerta y dijo, "hola, vecino" y yo abrí la boca para decir "hola", algo se me atoró en la garganta y comencé a toser y a dar arcadas como lunático. Para cuando entró un poco de aire en mis pulmones, ya tenía la cara roja y sudaba a chorros por todos lados.

Muy *cool*.

—¿Estás bien? —me preguntó Lucy.

—Ajá, ¡aggh!, sí… estoy bien, gracias. Yo sólo… —volví a toser— ¡mmjj! …Sólo tengo un poco de tos, ya sabes.

Lucy sonrió.

—Tal vez deberías dejar de fumar los puros de tu abuelita.

Le sonreí.

—Ajá.

Dio un paso hacia atrás y abrió la puerta para que yo pudiera pasar.

—Ah, ajá —murmuré. Me sentía muy inseguro respecto a cómo empezar a decir lo que tenía que decir, a pesar de que lo había estado practicando toda la tarde—. Escucha, Luce —le dije—, me preguntaba si te gustaría, bueno, ya sabes, es sólo que pensé que tal vez…

—¿Vienes o no? —me dijo.

—Bueno, la cuestión es que…

—¿Qué, Tom? —me frunció el ceño—. ¿Qué sucede?

—Nada —volví a respirar hondo y traté de calmarme. "Sólo tranquilízate", me dije, "Tranquilízate, abre la boca y dilo". Y así fue como lo hice. Miré a Lucy, abrí la boca y dije—: ¿Te gustaría ir de picnic?

Se me quedó viendo.

—¿A dónde?

—No tienes que *salir* a ningún lado —le dije—, bueno, tendrías que ir a un *lugar*, pero no tenemos que salir del edificio.

Sacudió la cabeza, se veía perpleja.

—No entiendo.

—Lo sé, es decir, ya sé que suena un poco raro, pero estarás bien. En serio, sólo tienes que confiar en mí. Vas a estar segura.

—Pero, ¿en dónde es?

—No te puedo decir, ¿verdad? Es sorpresa.

Volvió a sacudir la cabeza con incredulidad.

—¿Un *picnic*?

Le sonreí.

—Sí, sándwiches, papitas, Coca…

—No lo sé, Tom —me dijo, con cierta ansiedad—, es que, es una idea muy linda y todo, no es que no quiera estar contigo, pero ya sabes, es sólo que yo, yo... creo que todavía no estoy lista.

—¿Lista para qué? —le pregunté con sutileza.

—Para nada, para salir, para estar con gente.

—Sí, pero, no vas a *salir* —le aseguré—. Y la única persona con la que vas a estar soy yo. Te lo prometo. Te garantizo que no habrá nadie más.

—No sé cómo se podría.

—Confía en mí, Luce.

Miró al piso. Se veía preocupada, sus ojos se veían tristes y, por un momento comencé a dudar en serio de mi plan. Tal vez no era tan buena idea, después de todo. Tal vez sólo estaba siendo egoísta, insensible, descuidado...

Pero luego, Lucy dijo en voz baja.

—¿No vamos a tener que salir del edificio?

—No.

—¿Y no voy a tener que ver a nadie más?

—Te lo aseguro.

Fue mirando lentamente hacia arriba hasta encontrar mis ojos.

—¿Qué tipo de sándwiches?

La mamá de Lucy había salido a trabajar, pero Ben estaba ahí. Lucy le dijo que iba a salir un rato conmigo y que no se tardaría. Se puso un saco y uno de esos gorritos tejidos de lana con orejas. Luego, después de asegurarme de que el corredor estaba vacío, la conduje hasta la escalera.

—¿Todo bien? —le pregunté.

Ella asintió un poco vacilante.

—Sip, es sólo que estoy un poco, no sé, es la primera vez que salgo desde que sucedió.

—Lo sé.

Me sonrió. La ansiedad se notaba en su mirada.

—¿A dónde vamos?

Le correspondí la sonrisa.

—Sígueme.

La conduje por la escalera y subimos tres pisos hasta la puerta de hierro. Yo había ido un poco antes para abrirla, así que sólo tuve que empujarla. Atravesé con Lucy la puerta de acero reforzado y cerré la puerta de hierro por la que acabábamos de pasar. Cuando me acerqué al tablero en la pared, ingresé el código de seguridad y abrí la puerta, Lucy se me quedó viendo desconcertada.

—No preguntes —le dije—. Por aquí.

La ayudé a entrar por el cuartito. Cerré la puerta de acero y subí por la escalera que estaba apoyada en la pared. Cuando subí, poco antes, también había aprovechado para abrir la puertita, así que lo único que teníamos que hacer ahora era subir por la escalera. Y entonces, llegaríamos a la azotea.

Miré a Lucy.

—¿Todo sigue bien?

—Sí, creo que sí.

—¿No te dan miedo las escaleras?

Ella miró la puertita.

—¿Esa puertita da adonde creo que da?

—Ya lo vas a descubrir. ¿Quieres que yo suba primero?

—Okey.

Subí por la escalera, empujé la puertita y salí al techo. Luego me agaché para ayudarle a Lucy a subir.

—¿Vas bien? —le pregunté.

—Sí.

—Por cierto, me gusta mucho tu gorro.

Ella me sonrió.

—¿Siempre haces esto cuando tratas de impresionar a una chica?, ¿darle una escalera para que la suba y luego alabar su gorro?

—Por lo general me funciona.

Cuando llegó al tope de la escalera, la tomé de la mano y la ayudé a pasar por la puertita para subir a la azotea.

—¡Guau! —dijo como en un susurro al mismo tiempo que se levantaba y miraba alrededor—. ¡Esto es *asombroso*! Se puede ver hasta... la eternidad. Es decir, ya sé que ya lo he visto antes, pero...

—Aquí se siente distinto, ¿verdad?

—Sí —me miró—. Estás lleno de sorpresas, Tom Harvey.

—Sólo me esfuerzo —le dije.

Ella me sonrió.

—¿Tienes hambre? —le pregunté.

—¿Por qué? ¿Hay restaurante o algo así aquí arriba?

—Es un picnic, ¿recuerdas?, ¿te invité a un picnic? —señalé hacia la mitad de la azotea—. ¿Lo ves?

Ella miró hacia donde yo señalaba y, cuando vio lo que ahí estaba, se iluminaron sus ojos y en su rostro apareció la sonrisa más hermosa y brillante que he visto.

—Oh, Tom —lloró—, es *fantástico*, es muy *hermoso*. —Volteó a verme con la sonrisa de una niña en la mañana de Navidad—. ¿Hiciste todo esto para mí?

Vi la mesa de picnic que había colocado a la mitad del techo. Todo lucía bastante destartalado porque sólo era una mesa plegable y unas cuantas sillas que había encontrado en el cuarto de servicio. Había colocado un mantel de cuadros blancos y rojos, una vela sobre un plato, unos cuantos platos y vasos de unicel, sándwiches, papitas, una botella grande de Coca, medio paquete de galletas de chocolate y lo que quedaba de un pastel de frutas que Abue me había preparado la semana anterior. Tengo que admitir que Lucy tenía razón, mis preparativos *tenían* una cierta belleza inacabada.

—Sí —le dije y volteé a verla—, sí, lo hice para ti. —Sentí que me ruborizaba un poco pero no me importó—. ¿En verdad te gusta?

Lucy puso su mano sobre mi hombro, se inclinó hacia mí y me besó en la mejilla con dulzura.

—Me *fascina* —dijo mientras me miraba directo a los ojos—, en serio, *me encanta*. Gracias, Tom.

Volvió a besarme. Me dio un beso en la mejilla y luego nos quedamos ahí un rato. Estábamos solos, por encima de todo el mundo, solos en la menguante luz del atardecer escarlata.

Era todo lo que siempre había deseado.

En ese momento, no importaba nada más.

Sólo nosotros dos, Lucy y yo. Lucy sonrió y preguntó:

—¿Comemos?

Hice una reverencia con la cabeza.

—Si la señora así lo desea. Mesa para dos, ¿no es así?

—Por favor.

—Sígame, por favor.

La llevé hasta la mesa de picnic y saqué la silla para que se pudiera sentar.

—Gracias, estoy bien —dijo.

—Por nada.

Me senté y tomé la botella de coca.

—¿Coca Cola?

—Sí, gracias.

Serví un poco de refresco en su vaso y se lo di a probar. Tomó el vaso, olió la coca, la agitó un momento y luego bebió un poco.

—Mmm —dijo al tiempo que bebía—, delicioso, gracias.

Lucy sostuvo su vaso y yo lo llené. También me serví a mí y luego le ofrecí el plato de sándwiches.

—Aquí hay de queso —le expliqué—, o de queso untable, o si lo prefiere, también tenemos el sándwich del día.

Lucy sonrió.

—¿Ése de qué es?

—De queso.

Se rió y tomo un par.

—¿Tú los preparaste?

Asentí.

—El queso es mi especialidad, además, era lo único que quedaba en el refrigerador.

Abrí una bolsa de papitas y le ofrecí.

—¿Queso y cebolla? —preguntó.

—Sip.

—Excelente.

Durante los siguientes minutos sólo comimos. Fue muy agradable estar sentados ahí en la oscuridad que crecía gradualmente; comer y beber sin tener que decir nada, incapaces los dos, de borrar la estúpida sonrisa que teníamos en el rostro. La noche se estaba poniendo fría y a lo largo del techo atravesaba una corriente muy fresca. Sin embargo, ambos teníamos saco y creo que el aire no nos molestó para nada.

Después de un rato Lucy dejó de masticar y me dijo:

—Entonces, ¿qué has estado haciendo estos días? Llevaba un rato sin verte.

—Sí, lo sé, lo siento. Tenía el plan de subir a verte pero se me seguían atravesando asuntos.

—¿Asuntos?

Toqué mi cabeza y alcé los hombros; fue algo bastante ambiguo. Sabía que era mala onda, pero lo hice. Lo hice porque no sabía qué otra cosa decirle y tampoco quería mentirle. Además, de cierta forma, los asuntos en mi cabeza habían sido lo que me había impedido ir a verla.

—Sí, claro —dijo Lucy asintiendo con cierta vacilación. Luego se metió una papita a la boca lentamente—. Sí, claro, ya veo.

Masticó la papita un rato en silencio, y eso me dejó anonadado porque, o sea, ¿quién puede masticar una papita *en silencio*? Luego me miró y me dijo en voz baja:

—Está muy tranquilo aquí, ¿verdad?

—Sí —le di la razón—, todo el conjunto está bastante tranquilo por ahora.

Ella asintió y volvió a quedarse callada un rato, concentrándose en sacar las últimas papitas de la bolsa. Se lamió el dedo y lo volvió a meter al empaque; se chupó los trocitos que se le quedaron en el dedo y luego se puso la bolsa en la boca.

—¿Terminaste? —le pregunté sonriendo.

Ella también sonrió.

—No me gusta gastar nada.

La observé arrugar la bolsa hasta darle forma de moño. Luego la colocó debajo del envase de Coca para que no saliera volando. Se quedó viendo a la mesa durante algunos segundos, pensando en algo, luego me miró.

—¿Puedes guardar un secreto? —me preguntó.

—Ajá.

—Bueno, ya te enteraste de todo lo que ha estado sucediendo en el conjunto, ¿no?, los arrestos y todo eso.

—Ajá.

—Y ya sabes que hay muchos rumores por ahí de que hay una especie de vengador, un tipo disfrazado.

—Sip.

Me miró.

—Bien, pues creo que se trata de ese chico sobre el que te conté, el que se hace llamar iBoy, ¿te acuerdas?

—¿El que trató de aventar a Eugene O'Neil por la ventana?

—Sí.

—¿El tipo de Bebo?

—Ajá, creo que es él.

—¿Quién?

—El vengador —dijo impacientándose—. El que ha estado haciendo todas esas cosas en el conjunto. Creo que es iBoy.

—¿En serio?

—Sí. O sea, nos hablamos con frecuencia en Bebo, y aunque él no ha *admitido* del todo que es él, tampoco lo ha negado.

—¿Entonces qué estás tratando de decir?, ¿tú crees que este chico iBoy es una especie de superhéroe o algo así?

—No, claro que no, pero sí existe, eso es definitivo. Lo *vi*, ¿recuerdas? Yo estaba ahí cuando les dio su merecido a O'Neil y a los otros —sacudió la cabeza, recordando todavía con incredulidad—. Él los hizo papilla, los hizo papilla *en serio*. Además, traía puesta una especie de *máscara*. Te lo juro.

—Te creo. —Corté unas rebanadas de pastel de frutas; le pasé una a Lucy y yo comencé a comerme la otra—. ¿Entonces, tú qué crees que él sea?

—No lo sé.

—¿Y por qué lo hace? Es decir, ¿tú crees que lo hace por ti?, ¿así como si fuera una especie de ángel de la guarda o algo por el estilo?

Estaba a punto de morder el pastel de frutas pero se detuvo a la mitad. Bajó la mano en la que tenía la rebanada y me miró con gran intensidad.

—¿Cómo?

—¿Cómo? —repetí—, ¿qué dije?

Hablaba en voz muy baja.

—¿Por qué crees que estaría haciéndolo por mí?

—Bueno, ya sabes, pues se fue contra O'Neil, Firman y Craig, ¿no es así?

—¿Y?

De pronto me di cuenta de que, supuestamente, yo no sabía quién había violado a Lucy ni quién había estado ahí cuando sucedió porque ella no me lo había dicho. La miré tratando de ocultar el titubeo de mi mente.

—Lo que quiero decir es, ya sabes, te ayudó cuando O'Neil y los otros estaban afuera de tu departamento. Me refiero a iBoy. Porque te estaba ayudando, ¿no?

—Sí, pero…

—Bien, pues eso es a lo que me refiero. Te estaba ayudando *a ti* y se puso en contacto *contigo* a través de Bebo; así que, pues *es posible* que algunas de las cosas que ha estado haciendo las haya hecho por ti.

La mirada de Lucy seguía fija en la mía.

—De acuerdo, ¿pero cómo podría él haber sabido?

—¿Saber qué?

—¿Cómo podría haber sabido a quién perseguir? Es decir, ya sé que la única información que me llega es la que Ben me da, pero, por lo que me ha dicho, sé que a muchos de los que estuvieron ahí cuando sucedió, ya sabes, cuando a Ben y a mí nos... bueno, cuando me... ya sabes a lo que me refiero —tragó saliva con fuerza esforzándose por no llorar—; pues a muchos de los que estuvieron ahí son *justamente* a quienes han estado golpeando, arrestando o lo que sea.

—Entonces tal vez el tal iBoy *sí es* tu ángel de la guarda —sugerí.

—Sí, ajá —dijo Lucy cuando mordía su pastel.

—¿Le has contado esto a alguien más?

Como tenía la boca llena de pastel, negó con la cabeza.

—¿Y la policía? —le pregunté—, ¿ya vinieron a verte?

—Asintió.

—¿Qué les dijiste?

—Nada.

—Igual que yo.

Levantó las cejas sorprendida.

—¿La policía también fue a verte *a ti*?

—Sip.

—¿Por qué?

Me toqué la cicatriz de la cabeza.

—Porque estuve ahí, ¿no? O sea, cuando los atacaron a Ben y a ti, yo estaba ahí. Vaya, es *como si hubiera* estado ahí. La policía quería saber si había visto algo.

—¿Cómo podrías haber visto algo? Estabas treinta pisos abajo.

—Lo sé. Y por si fuera poco, estaba tirado en el piso con un iPhone incrustado en el cráneo.

Ella se rió y, casi de inmediato, dijo:

—Lo siento, no sé por qué me río, no es gracioso —me miró—. Entonces, ¿la policía fue a verte por ese asunto?, ¿no te preguntaron por el vengador?

—Ah, claro que también me preguntaron sobre eso —me encogí de hombros—. Parece que la semana pasada el amigable Chico Misterioso del barrio atacó a un grupo de los FGH. Alguien me vio sentado en el área infantil unos minutos antes de que sucediera el ataque. Así que, pues ya sabes, los policías sólo querían saber si había visto algo.

—¿Y sí?

—No.

—¿Qué estabas haciendo en la zona de juegos?

—No gran cosa, sólo pasando el rato, ya sabes.

Sonrió.

—¿Solo?

—Sí.

—¿Y fuiste a los columpios?

Negué con la cabeza.

—Todos estaban rotos.

Lucy volvió a sonreír.

—Sí, me imagino que sí.

—*Estaban rotos*, ¿por qué sonríes así?

—Porque siempre te dieron miedo los columpios.

—No, no es verdad.

—Claro que *sí*. Cuando éramos niños siempre tenías un pretexto para no ir a los columpios. Decías que tu abuelita no te dejaba, que no se veían seguros, que te dolía la espalda…

—Sí, bueno, pero pues *no* eran seguros, ¿verdad? Los niños *siempre* se caían y terminaban con la cabeza abierta.

Lucy se rió.

—*Yo* me subía a ellos.

—Sí, pero nunca te subiste al juego ése que da vueltas, ¿verdad?

—¿El juego que zumba?

—Sí, ya sabes, el juego ese redondo que zumba y da vueltas rapidísimo. —Le sonreí—. A ése nunca te subiste.

Lucy se encogió de hombros.

—Me mareaba.

—Le tenías miedo.

—Sí, pero porque era una niñita. Las niñitas tienen derecho a tener miedo —me miró y pude ver el brillo de sus ojos—. ¿Cuál es tu justificación?

Levanté las manos.

—Está bien, lo acepto, soy un llorón. Siempre lo he sido y siempre lo seré.

Lucy negó con la cabeza.

—Estás siendo demasiado duro contigo mismo, Tom. No eres un llorón.

—Gracias.

—Eres más bien un *nerd*.

La miré como si sufriera mucho.

—Ya estás llegando *demasiado* lejos. Porque, o sea, puedo soportar lo de llorón. De hecho, *como* que me gusta ser llorón. ¿Pero llamarme *nerd*? —sacudí la cabeza—; eso duele, Luce. En serio… —puse la mano sobre el corazón— me duele justo aquí.

—En ese caso —dijo Lucy—, por favor acepta mis más sinceras disculpas.

—Disculpa aceptada.

Sonrió.

—En realidad, como que a mí también me gustan los llorones.

—Sólo lo dices para hacerme sentir mejor.

—No, en serio, me gustan. En cualquier caso preferiría estar con un llorón que con un machito.

—¿Un *machito*?

Sonrió.

—Ya sabes a lo que me refiero.

—Está bien —dije—, nombra a uno.

—¿Un qué?

—Dame el nombre de un llorón que te guste.

—¿Aparte de ti?

Sacudí la cabeza con displicencia.

—Mmm, no se vale distraerme con halagos baratos.

190

—No fue barato.

—Vamos —le dije—, dame el nombre de un llorón.

—Okey, está bien, déjame pensar. De acuerdo... un llorón que me guste.

Mientras ella miraba hacia arriba al cielo nocturno, tratando de pensar, o tal vez *fingiendo* que trataba de pensar en un llorón que realmente le gustara, yo tuve que esforzarme por no quedarme viéndola. Se veía muy bien, abrigada con su saco y el sombrero, con unas migajitas de pastel en los labios y algo de azúcar en los dedos. Me pregunté si valía la pena creer que este juego podría llegar a ser algo más que un juego.

Los halagos que Lucy me hizo en broma, ¿*en realidad* serían halagos genuinos?, ¿sería posible que yo le gustara como algo más que sólo un amigo?

—El Hombre Araña —dijo de repente.

—¿Qué?

—El Hombre Araña es un llorón que me gusta de verdad.

—Pero él no es un llorón —le dije—. El arañita es un tipo muy rudo.

—Ajá, sí, pero no me refiero a *El* Hombre Araña, estoy hablando del otro, del de la vida real. ¿Cómo se llama?, ya sabes... —chasqueó los dedos tratando de recordar el nombre.

—¿Peter Parker?

—Sí, eso es. Peter Parker. Él sí es un llorón, ¿no crees?

—Síp.

—Y me gusta.

—¡Ja! No, para nada. El que *te gusta* es Tobey Maguire.

Se encogió de hombros.

—Es lo mismo.

Me reí mucho.

—No, *para nada*, claro que no es lo mismo. Peter Parker, el personaje ficticio, bueno, sí, *él sí* es un llorón. Pero Tobey Maguire, la estrella de Hollywood, es rico, famoso y...

—Muuuy guapo.

Le puse cara.

—¿Tú crees? Pero tiene la cara como que chuequita, ¿no?

—¿Chuequita?

—Ajá, ya sabes, como que es asimétrico.

—¡No! —dijo Lucy—. Es súper lindo. Y *además*, es sexy. ¿Te acuerdas de esa parte de la primera película en la que está lloviendo y él está colgado boca abajo y besa a... ¿cómo se llama?

—Mary Jane Watson, MJ.

—Ah, sí... o sea, vaya, ése sí que es un beso sexy.

—Es sólo porque tiene la máscara puesta y no puedes ver su rostro.

—Pero no *tienes* que verlo. Uno ya sabe lo lindo y sexy que es.

—Pero Mary Jane no lo sabe.

—¿Y a quién le importa Mary Jane?

—Bueno, te sorprendería saber que hay *mucha* gente a la que le importa Mary Jane, en especial cuando está besando bajo la lluvia al ya mencionado Hombre Araña que está de cabeza, y a ella le llueve encima y su blusita está toda mojada y pegajosa.

Lucy se rió, sacudió la cabeza y me dijo que no, meneando su dedo.

—Ja, y *ahora*, ¿quién es el que confunde a los personajes con los actores?

—¿Qué? —le pregunté con inocencia.

—Lo que te importa es la blusita mojada de Kirsten Dunst, no la de Mary Jane.

Me encogí de hombros.

—Es lo mismo.

Comenzamos a reírnos; se sentía muy bien, estar sentados ahí, mirándonos, riendo y carcajeándonos como si fuéramos niños. Pero luego, después de un rato, supongo que ambos nos fuimos dando cuenta de que todo eso de lo que habíamos estado platicando y riéndonos era el tipo de tema que, tal vez, *no* debimos haber tratado. Porque a pesar de que sólo lo hicimos en juego y para divertirnos, a pesar de que habíamos estado hablando de sexo desde un punto de vista muy superficial e inocente, eso no cambiaba el hecho de que, efectivamente, *sí* habíamos estado hablando de sexo. Y ahora que Lucy se daba cuenta de ello, supo que era demasiado para ella.

Era algo muy cercano.

Muy crudo.

Muy confuso.

Y entonces, ahora se había quedado ahí, sin sonreír, mirando con tristeza cómo retorcía una servilleta de papel que tenía entre las manos, sobre su regazo.

—Lo siento —le dije en voz baja—, debí darme cuenta.

—Está bien —dijo tratando de sonreírme—, no es tu culpa es que...

Se encogió de hombros.

—A veces desaparece por un rato, ¿sabes? De hecho se me olvida o, por lo menos, no estoy *consciente* de que estoy pensando en eso. Pero luego —sacudió la cabeza en negación—, siempre vuelve a mí. Es como si *nunca* dejara de estar ahí. E incluso cuando *logro* olvidarlo por unos minutos, siempre hay *algo* que me lo recuerda. Algo en la tele, ya sabes, una escena de sexo o algo así, o tal vez un tipo con capucha me recuerda a ellos. Es decir, Dios mío, no *creerías* lo difícil que es ver televisión sin que aparezca de repente un tipo con capucha. —Me sonrió alterada—. Están en *todos lados*.

Muy consciente, me bajé la capucha.

Lucy se rió.

—¿Ves, qué te dije?

—Lo siento.

—De hecho no había notado la tuya sino hasta ahora.

—Lo siento —repetí.

—No, está bien, en serio —frunció el ceño como para sí misma—; pero resulta bastante extraño que no la haya notado antes.

—Tal vez es por la forma en que la uso —comenté con una sonrisa.

—¿A qué te refieres?, ¿a que la usas en la cabeza?

Estábamos volviendo a sentirnos bien. No era precisamente como antes porque ahora estábamos menos exaltados. Sin embargo, creo que estuvo bien. De hecho, me sentí cómodo, sentí que ahora nos conocíamos un poco más. Y creo que Lucy también se sentía cómoda.

—¿Estás bien? —le pregunté.

Ella sonrió.

—Ajá.

—¿Quieres comer algo más?

Negó con la cabeza.

—No, estoy repleta.

—¿Quieres ir a caminar?

—¿A dónde?

—Pues puede ser hasta la orilla del techo.

Lucy miró hacia la orilla y luego volvió a verme a mí.

—¿Estás seguro de que no es muy lejos?

—Si quieres, puedo llamar a un taxi.

—No —dijo—, está bonita la noche, creo que podemos caminar.

Yo nunca había tenido novia, bueno, es decir, nunca había tenido una novia en serio. Había salido con algunas chicas, ya saben, había tenido unas cuantas citas; había ido al cine o a ver a una banda, cosas así. Sin embargo, a pesar de que las niñas con las que había salido me gustaban bastante, nunca había estado loco por ellas. Y por eso, en realidad nunca me había puesto a pensar en lo que se suponía que debía hacer con ellas o en la forma en la que yo *creía* que debía actuar. Pero no, con esto no me refiero al aspecto sexy/sexual/sexista del asunto. Me refiero a las tonterías como saber si es correcto tomarse de las manos o no, si ellas esperan que eso suceda, y si sí lo esperan, ¿entonces en qué momento debes hacerlo? ¿Y cómo?, porque… ¿qué tal si haces el primer movimiento y resulta que *no* es lo correcto. ¿Entonces qué pasa?

Ese tipo de cosas.

Y ese tipo de cosas fueron las que *pensé* que tendría en la cabeza cuando me levantara de la mesa y caminara hacia la orilla con Lucy. Porque sí estaba loco por ella, porque siempre lo había estado. Y ahora, al fin estábamos ahí, en una especie de cita que, claro, debo admitir que no era muy tradicional que digamos. Pero a pesar de todo, habíamos comido juntos; habíamos conversado, reído y sufrido juntos, y ahora, íbamos a pasear… juntos. Yo había soñado muchas veces con este momento; me lo había imaginado, lo había vivido en mi mente, y también me había angustiado por él. ¿Debería tomar su mano?, ¿debería abrazarla?, ¿o debería verme llevármela *cool*? ¿Debería hacer esto, o aquello, o intentar tal o cual cosa…?

Sin embargo, lo más raro era que no, no estaba sucediendo así. Nada de lo anterior ocupaba mis pensamientos. Sólo me levanté y caminé por el techo con Lucy sin preocuparme por nada. Lo único que sabía era que ambos nos sentíamos bien caminando juntos y tan cerca como lo deseábamos. Se sentía perfectamente natural.

—¿Por qué sonríes? —me preguntó Lucy.

La miré.

—¿Estaba sonriendo?

—Sí, como idiota.

Le sonreí y ella me devolvió el gesto.

—Ten cuidado —le dije y me acerqué un poco para sujetar su brazo.

Se detuvo y se dio cuenta de que casi habíamos llegado a la orilla.

—Guau —dijo casi sin aliento—, es un largo camino de aquí hasta abajo.

—¿Te sientes bien? —le pregunté—, ¿no te sientes mareada o algo así?

Me miró.

—¿Estás bromeando?

—No —le contesté con una sonrisa—. Es sólo que, en serio, hay algunas personas a las que no les gustan las alturas, ¿no es así? Sólo quería verificar que te sintieras bien, eso es todo.

—Sí —dijo sonriendo—. Estoy bien.

Volvió a asomarse a la orilla. No dijo nada, sólo se quedó mirando y pensando.

—¿Nos sentamos? —sugerí.

—¿Por qué?, ¿te sientes mareado?

—Ya me conoces —le dije al mismo tiempo que me sentaba cruzado de piernas en el piso—, "Tommy el Llorón".

Ella sonrió y se sentó junto a mí. Luego sólo nos quedamos ahí un rato en silencio, mirando más allá del conjunto, mirando hasta las distantes luces de Londres. Las luces en la calle, los semáforos, los postes, los edificios de oficinas, de departamentos, las tiendas y los teatros...

Estaba muy lejos todo.

—¿Ése es el Ojo de Londres? —preguntó Lucy después de un rato.

—¿En dónde?

Señaló a la distancia.

—Ahí, junto al río.

Yo no podía verlo, así que, de repente se me ocurrió entrar a Google Earth en mi cabeza para ubicarlo. Pero no, eso era parte de los iAsuntos y los iAsuntos no tenían cabida en este lugar. Por eso no lo hice.

—Ni siquiera puedo ver *el río* —le dije a Lucy—, mucho menos el Ojo de Londres.

Sonrió pero me di cuenta de que ya tenía la mente ocupada en algo más. Ya no miraba a la distancia, ahora su atención estaba en la zona cercana del conjunto; veía las calles, los edificios más altos, los menos altos, la zona de juegos.

—Es curioso, ¿no? —dijo en voz baja y con nostalgia.

—¿Qué?

—Saber que están por ahí en algún lugar, ya sabes, los chicos que me violaron. Todos están ahí, viviendo sus vidas, haciendo lo que acostumbran —exhaló agotada—, o sea, todos ellos andan ahí *afuera*.

—Bueno, algunos de ellos deben estar en una celda ahora —le dije—, o en el hospital.

Lucy me miró con los ojos llenos de lágrimas.

—Tú *lo sabes*, ¿verdad? —dijo—, tú sabes quiénes son.

—Sí, sé quién es la mayoría.

—¿Cómo lo sabes?

Me encogí de hombros.

—La gente habla, ya sabes, uno escucha rumores. No resulta muy difícil llegar a saber la verdad.

—¿La verdad? —dijo en un susurro casi imperceptible— Yo soy la única que sabe *la verdad*.

Cuando Lucy me quitó la mirada de encima para voltear a ver abajo, al conjunto, tenía ganas de patearme a mí mismo por ser tan imbécil. Yo *no quise decir* que sabía por lo que ella había atravesado, pero de cualquier forma fue un comentario muy insensible, fue una estupidez de mi parte.

Realmente *sí* era un imbécil.

—Lo siento Tom —dijo Lucy.

La miré, no muy seguro de haber escuchado bien.

—¿Cómo?

—Sé que no quisiste decir nada en particular, tampoco quise ser brusca contigo.

—No, por favor —le dije—, yo soy quien debería disculparse, no tú. Es que no pensé, ya sabes, sólo abrí mi estúpida bocota y…

—No tienes una estúpida bocota.

Me le quedé viendo, ella había vuelto a sonreír.

—Está bien —dijo—, ¿okey?

—Okey.

—Bueno.

Volvimos a contemplar el entorno en silencio, a mirar las luces, el cielo y las estrellas en la oscuridad. Yo podía escuchar cómo suspiraba el viento nocturno y alcanzaba a oír algunos sonidos apagados que se elevaban desde el conjunto. Coches, voces, música. Pero en general, todo estaba bastante tranquilo. Incluso los sonidos que *sí llegaban* a romper el silencio, no parecían amenazantes de ninguna forma.

Eran sólo sonidos.

—¿Hay alguna diferencia? —le pregunté en voz baja a Lucy.

Me miró.

—¿Hay alguna diferencia en qué?

—En todo lo que ha hecho iBoy o quien quiera que sea. Ya sabes, ¿tú crees que está bien que haya hecho que O'Neil y Adebajo sufrieran?, ¿a ti te hizo sentir mejor eso?

No me contestó durante un rato, sólo se me quedó viendo y, por un minuto pensé que iba a decir "Eres *tú*, ¿verdad? Tú eres iBoy". Entonces empecé a pensar en cómo me haría sentir eso. ¿Me sentiría bien?, ¿avergonzado?, ¿apenado?, ¿emocionado? Y luego pensé que tal vez, inconscientemente, yo *quería* que ella supiera que era yo, que era iBoy, que era su ángel de la guarda.

—No lo sé, Tom —dijo muy triste—. En realidad no sé si hay alguna diferencia con todo eso o no. Es decir, sí hay una parte de mí que se siente bien por su sufrimiento, porque, ya sabes, en verdad quiero que sufran y quiero que les duela porque se lo merecen. Dios mío, merecen todo lo que les está *pasando*. —Su voz había bajado de volumen hasta convertirse en un murmullo helado—. Así que sí, en ese sentido, lo que hace iBoy sí hace una diferencia. Me brinda algo que una parte de mí necesita mucho. —Suspiró—. Pero no dura mucho, es decir, no es suficiente, nunca *podrá* serlo. Porque no me puede quitar esto que cargo. —Me miró—. No hay nada que me pueda librar de lo que cargo.

—Es algo que siempre han hecho —dije con calma.

Ella asintió.

—Y pase lo que pase, eso es algo que nadie puede cambiar.

Mientras estábamos ahí sentados, mirándonos en medio de la inmensa oscuridad, de pronto comencé a pensar en aquella vieja película de Supermán que había visto en la televisión en Navidad. No la recuerdo muy bien porque no había estado prestando mucha atención, pero había una parte en la que Supermán está tan ocupado salvando las vidas de otras personas, que no le queda tiempo para salvar la vida de Luisa Lane, la chica a la que ama. Y cuando se entera de que está muerta, se pone tan mal que vuela hasta la atmósfera y comienza a zumbar dando vueltas alrededor de la Tierra, y vuela tan rápido que, de alguna manera, la Tierra comienza a girar más lento. Finalmente deja de hacerlo y empieza a rotar en la dirección contraria. Con eso, la Tierra retrocede en el tiempo y Supermán puede volver al pasado y evitar que muera Luisa Lane.

Aunque claro, todo eso era bastante ridículo.

Sin embargo, no podía dejar de pensar que, si yo pudiera hacer eso, si pudiera regresar el tiempo, entonces *podría* hacer que las cosas cambiaran para Lucy. Podría hacer que todo volviera a estar bien de nuevo.

Pero sabía que eso no sucedería. Estábamos en el mundo real, no en una película, y en el mundo real, a pesar de lo terrible que pueda parecer una situación, siempre se puede poner peor.

—¿En qué piensas, Tom? —me preguntó Lucy.

—En nada —encogí los hombros—, ya sabes, tonterías.

Sonrió.

—¿Hay muchas cosas en qué pensar, ¿verdad?

—Ajá.

—Y siempre son, bueno, no sé, como que las situaciones nunca son sencillas, ¿no? Nunca son algo simple y fácil de entender. ¿Sabes a lo que me refiero?

—Sip.

—Las situaciones siempre tienen como dos partes. Te sientes bien por algo, pero de todas formas te sigues sintiendo mal. A veces te gusta algo de alguien pero *no quieres* que guste. —Me miró pensativa—. Dos partes, ¿lo ves? Hasta eso de lo que estábamos hablando hace rato, ya sabes, Tobey Maguire es lindo, Kirsten Dunst es sexy, es decir, okey, está bien. Besar y esas cosas, que la gente se vea sexy, es como *agradable*. Pero luego, también existe el *otro* lado del asunto, el otro lado del sexo, el lado malo. La mierda, las *espantosas* cosas que la gente hace —negó con la cabeza—. Es sólo que *no lo entiendo*, ¿sabes?

—Sí.

Volvió a suspirar.

—Y pasa lo mismo con la gente. Crees que la conoces, que sabes con toda exactitud cómo es —me miró lentamente—, pero tal vez te equivocas, tal vez siempre has estado equivocado y, tal vez, esa persona que *creías* conocer, bueno tal vez tiene otra parte que no conoces. Una parte de la que no estás muy segura.

—Correcto —dije, vacilante.

Lucy me miró por un largo rato, sin separar su mirada de mis ojos. Luego sonrió. ¿O tal vez también me equivoco al respecto?

Le sonreí.

—No me preguntes, no tengo la menor idea de lo que estás hablando.

—Siempre es igual contigo, ¿verdad?

—¿Siempre igual qué?

Lucy se rió y yo le sonreí. Nos quedamos así durante un buen rato en silencio, en la penumbra. Y entonces, mi corazón supo que así era como debía de ser, que eso era lo único que desearía jamás, que era lo único que *existía* que podía desear.

Era *eso*.

Después de un rato, Lucy miró su reloj y dijo:

—Creo que debería irme, Tom. Mamá no tarda en llegar.

—Okey.

Entonces nos pusimos de pie y nos quedamos un momento junto a la orilla, mirando hacia la oscuridad. Recordé la última vez que había estado ahí, sólo con mi capucha puesta y mi iPiel encendida. Sólo como una figura que brillaba tenuemente, sentado con las piernas cruzadas sobre el frío techo, treinta pisos arriba.

Como una especie de Buda bizarro con capucha…

Un iBuda delgado que brillaba en la oscuridad.

O tal vez como una iGárgola.

Pero era mucho mejor ahora.

— ¿Tom? —dijo Lucy.

Volteé hacia ella.

—Gracias —dijo en voz baja al mismo tiempo que me miraba—. Ha sido una noche en verdad maravillosa, nunca la voy a olvidar —se acercó más a mí, puso sus manos en mi rostro y me besó con suavidad en los labios.

Dios, se sintió tan bien.

Tan perfecto, tan natural…

Se sintió tan bien que casi me caigo de la azotea.

—¿Okey? —murmuró ella.

Yo no podía hablar, ni siquiera podía sonreír. Lo único que podía hacer era respirar. Lucy movió su mano hacia mi cabeza y acarició mi cicatriz con sus dedos.

—Se siente caliente —dijo en voz baja.

—Caliente… —murmuré.

Me sonrió.

—Vamos, es mejor que salgamos de aquí antes de que empieces a babear.

Lucy me tomó de la mano y caminamos por el techo para llegar a la puertita. La ayudé a bajar por la escalera y luego, cuando atravesamos las puertas, bajamos las escaleras y caminamos a lo largo del corredor hasta su departamento, mantuvimos todo el tiempo las manos entrelazadas.

—Gracias de nuevo, Tom —me dijo—. Fue muy grato.

—Gracias *a ti* —le dije.

Sonrió y me besó en la mejilla.

—¿Vas a venir mañana?

Asentí.

—Si no te molesta…

—Claro que no me molesta.

—¡Bien!

Volvió a sonreír y abrió la puerta.

—Entonces te veo mañana.

—Ajá.

Esperé a que cerrara y me quedé ahí parado durante un buen rato con la sonrisa más grande, estúpida y obvia del mundo. Luego tomé un respiro de satisfacción pura, di la vuelta y me dirigí de nuevo al techo para levantar todo lo del picnic.

Pero justo antes de llegar a la escalera, escuché que se volvía a abrir la puerta de Lucy.

—¿Tom?

Volteé y la vi de pie junto a la entrada.

—Ten cuidado —dijo.

Le sonreí.

—Yo siempre tengo cuidado.

Se me quedó viendo pensativa, con el ceño casi fruncido. Luego volvió a sonreír, asintió con la cabeza y se volvió a meter al departamento.

10101

Mi nombre es Legión, porque somos muchos.

SAN MARCOS 5:9, *Nuevo Testamento*

Después de levantar todas las cosas que tenía en la azotea y de bajarlas al departamento, y claro, después de que Abue prácticamente me *forzara* a decirle cómo me había ido con Lucy, fui a mi cuarto y me acosté en la oscuridad. Traté de no pensar en nada porque no quería *pensar* en lo absoluto. Lo único que quería hacer era sentir lo que sentía... nada más. Sólo quería quedarme ahí tirado con Lucy.

Con el recuerdo de sus ojos de atardecer.

Sus labios.

Su sonrisa.

Su rostro.

Su beso...

Era lo único que había deseado jamás. Lo único que había necesitado jamás.

Ahora lo sabía.

Nada más importaba. La venganza, el castigo, la retribución... nada de eso era relevante. Ni mis iPoderes, mis habilidades, ni mi *conocimiento*. Nada de eso era *yo*. Eso era iBoy, y yo no era iBoy, yo era Tom Harvey: un adolescente de dieciséis años perfectamente normal, sin problemas, sin secretos, sin horrores, sin una historia que contar. Sólo un chico, eso era todo. Un chico con esperanzas y sueños...

Y con una chica en quien pensar.

iBoy jamás podría soñar.

Jamás podría cumplir un deseo.

Pero Tom Harvey, sí.

iBoy *tenía* que desaparecer.

Porque ésa era la única forma en que podría recobrar a Tom Harvey y porque Tom Harvey era la única persona que sería con Lucy, siempre. Ése era mi sueño y era lo que más necesitaba en la vida.

Mañana. Lo decidí.

Lo haré mañana.

Lo primero que haré al despertar será contarle todo a Abue. Le diré lo que me pasó, lo que era capaz de hacer, lo que había hecho, lo que sabía. Y luego, con su ayuda, se lo diría a todos los demás que debían estar enterados, a la policía, al doctor Kirby, a Lucy...

Por supuesto que no sería fácil. La policía me interrogaría sobre todo lo que había hecho, los daños causados, la gente lastimada, la forma en que lo había hecho y, tal vez, me arrestarían y levantarían cargos. Claro, todo eso si llegaban a creerme, para empezar. Porque nadie podía asegurar que me creerían. Aunque tal vez después de que se lo explicara al doctor Kirby, y tal vez después de que les demostrara, a él y a la policía, lo que podía hacer con mi iCerebro, entonces tal vez Kirby podría comenzar a trabajar en la manera de entrar a mi cabeza y deshacerse de lo que fuera necesario para que yo pudiera volver a ser normal.

Quizá.

¿Y Lucy?

Dios mío, ¿qué pensaría *ella*? Es decir, porque incluso si ya tenía una ligera sospecha de que yo podría estar vinculado a iBoy (y claro, después de esta noche estaba bastante seguro de que sí sospechaba *algo*), ¿cómo reaccionaría en cuanto se enterara de que *sí* había sido yo quien hizo todo aquello? Y lo peor, que yo era con quien se había estado mensajeando en Bebo, que yo era el que fingía ser alguien más, que le había mentido, que la había traicionado. Que la había *utilizado*.

Me odiaría.

¿No es verdad?

Me odiaría, me despreciaría… y yo la perdería.

La perdería por tratar de ser honesto.

Pero la única forma de ser honesto con ella, *también* implicaba decírselo.

En ese momento me di cuenta de que Lucy tenía razón, siempre hay dos *partes* en todo.

Pasé las siguientes horas recostado en la cama. Me esforcé en pensar lo más posible, en organizar mi cerebro de forma normal, en tratar de encontrar la manera de ser honesto sin tener que perderlo todo. Y creo que si hubiera tenido más tiempo, habría tenido la oportunidad de encontrar la respuesta.

Pero no lo tuve.

Nunca tuve la oportunidad de hacerlo.

A las 02:12:16 sonó el timbre. Yo seguía acostado y todavía estaba vestido; seguía dando vueltas en mi cabeza. Sin embargo, llevaba tanto tiempo ahí en la oscuridad que, para ese momento, ya se había creado una especie de inercia. Mi cabeza estaba inerte, mi cuerpo estaba a miles de kilómetros de distancia. En realidad ya no estaba consciente de mí, pero cuando sonó el timbre, desperté de inmediato.

Algo andaba mal.

Tenía que ser.

El timbre sólo suena a las dos de la mañana cuando algo anda mal.

Con mi iCerebro comencé de inmediato a escanear si había celulares cerca. Salté de la cama y corrí por el pasillo. Abue iba saliendo de su cuarto; su cara adormilada y su cabello despeinado me indicaron que el timbre también la había despertado.

—¿Tommy? —preguntó adormilada mientras se amarraba la cinta de su camisón—, ¿qué pasa?

—No lo sé.

El timbre volvió a sonar.

Abue me miró de nuevo con un poco de preocupación.

—¿Quién podrá ser a esta hora de la madrugada?

—No lo sé.

Comenzó a caminar hacia la puerta.

—Bueno, pues creo que mejor voy a ver.

—Espera, Abue —le dije adelantándomele—, yo voy a ver quién es.

—No, Tommy —comenzó a decir, pero yo ya había llegado hasta la puerta. Mi iCerebro había detectado la presencia de cuatro celulares en el corredor. Todos estaban en el perfil silencioso.

—¿Quién es? —pregunté.

Hubo un momento de silencio, luego un murmullo apagado, y luego escuché la voz de Lucy.

—¿Tom?

Sonaba desesperada.

—Tom, no… ummmff…

No me detuve a pensar, sólo tomé la manija, giré la cerradura y abrí la puerta de golpe. Y ahí estaban todos: Lucy, Eugene O'Neil, Yusef Hashim, un tipo negro al que jamás había visto…

Y Howard Ellman.

Lucy estaba descalza y sólo traía un camisón largo; supuse que la habían sacado de su cama. Tenía el rostro lleno de lágrimas y una espantosa cortada justo debajo del ojo derecho. Le habían sellado la boca con una cinta negra adhesiva. Yusef Hashim le apuntaba a la cabeza con una pistola. La pistola, una automática, estaba atada a su mano y a su muñeca con cinta negra de aislar, y su mano y la pistola también estaban atadas a la cabeza de Lucy con más cinta. La mano, la pistola y la cabeza de Lucy, todo estaba atado con cinta. Era como si alguien hubiera preparado una pesadilla.

Miré a Lucy, incapaz de moverme.

Ella estaba petrificada…

y yo también.

—Hola, Thomas —dijo Ellman con suavidad—. Me enteré de que me has estado buscando.

Me lo quedé viendo sin poder hablar.

—Mira, sólo para que lo entiendas —dijo sonriendo con calma—, el dedo de Hashim está pegado al gatillo de la pistola, ¿okey? Así que si tratas de golpearlo o algo así, si te acercas a la chica, si tratas de llamar a la policía, si haces *cualquier* cosa que no me guste, Hashim va a jalar del gatillo y los sesos de tu novia se van a desparramar por todo el lugar. ¿Entendiste?

—Sí —dije en voz baja—, entiendo.

Vi que miró por encima de mi hombro y, cuando volteé para buscar qué era lo que miraba, noté que Abue estaba levantando el teléfono del pasillo.

—¡*No*, Abue! —grité—, *no*...

Ellman me empujó y me aventó contra la pared. Se metió hasta donde estaba Abue. Sin pensarlo ni un segundo, le arrebató el teléfono, arrancó el cable y la golpeó en la cabeza con el auricular. Ella ni siquiera hizo ruido, sólo se desplomó hasta el suelo y se quedó inmóvil, sangrando profusamente de la cabeza.

—Maldito *bastardo* —le grité a Ellman.

—Hash —dijo con rapidez.

Un lamento apagado me hizo detenerme justo ahí, y cuando volteé, vi que Hashim había empujado a Lucy contra la pared y que le estaba enterrando el cañón de la pistola en la cabeza.

—Te lo advertí —me dijo Ellman—. Si te mueves, la perra se muere.

Respirando exaltado, lo volteé a ver. Él sólo me sonrió.

Miré a Abue en el suelo. Se veía muy pálida y le costaba trabajo respirar. Entre dientes le dije a Ellman:

—Necesita ayuda.

Él se encogió de hombros.

—Depende de ti, puedes ayudarla si quieres, pero sólo si no te molesta tener una novia sin cabeza.

Escuché que se cerraba la puerta del departamento y vi que Hashim iba arrastrando a Lucy hacia la sala de estar por el pasillo. O'Neil y el tipo negro los iban siguiendo.

Volví a mirar a Abue y luego a Ellman.

—¿Por lo menos puedo meterla a su cuarto para que esté cómoda?

Ellman sonrió y sacudió la cabeza.

—Tú sabes que eres el único culpable. Si hubieras dejado las cosas como estaban, nada de esto estaría sucediendo.

Miré desesperado a Abue. Su pobre cabello gris ya estaba teñido de sangre y se veía tan pequeña, tan endeble…

Jamás me había sentido así de impotente en la vida.

—Entra ahí —me dijo Ellman al tiempo que señalaba con la cabeza hacia la sala.

Cuando entré a la sala, Hashim y Lucy estaban de pie cerca de la ventana, y O'Neil y el tipo negro estaban sólo ahí, parados junto a la puerta.

Ellman me ordenó que me sentara.

Miré a Lucy.

—Lo siento *tanto* —le dije.

Ella no podía responderme.

—No te preocupes —comencé a decirle.

—¡Que te *sientes*! —gritó Ellman.

Me senté en el sofá y él en el sillón que estaba frente a mí. Se veía igual que como en la fotografía suya que había visto en el registro de la policía. Claro que, como tenía unos quince años más, ya no se veía tan joven, pero fuera de eso, estaba casi idéntico. Tenía la cabeza rapada, el rostro angular y la misma mirada desalmada. Sus ojos, que en el registro de la policía se describían como azul claro, en realidad eran tan claros que se veían casi transparentes, como el azul de un cielo muy distante. Tenía puesto un traje negro muy costoso, una carísima camiseta negra y unos relucientes zapatos de piel de cocodrilo.

Mi iCerebro me dijo que en el bolsillo del saco negro tenía un Blackberry Bold 9700.

—Muy bien —dijo con calma mientras encendía un cigarrillo—. Así es como va a estar la cosa. Yo te hago una pregunta y tú me respondes. Si no lo haces o si me mientes, le va mal a la perra. ¿Okey?

—Sí.

—Muy bien. —Fumó un poco—. De acuerdo, primera pregunta. Tú eres el chico que se hace llamar iBoy, ¿verdad?

—¿Cómo lo sa…?

—Sólo responde la maldita pregunta.

Volteé a ver a Lucy. Tenía la mirada fija en mí pero no podía saber lo que le pasaba por la cabeza. Miré de nuevo a Ellman.

—Ajá —le dije.

—Tú eres iBoy, ¿ajá?

—Sí.

— Entonces tú eres el que ha estado por todo Crow Town jodiéndolo todo, ¿correcto?

—Ajá.

—Haciendo olas y toda esa mierda.

—Sí.

—¿Por qué?

—*¿Por qué?*

—Sí, ¿por qué? O sea, ¿a ti qué?

—Nada.

Sacudió la cabeza con incredulidad.

—Nadie hace nada por nada.

—Sólo hago lo que creo que es correcto —agregué.

Se rió.

—¿Qué diablos se supone que significa eso?

Señalé a O'Neil con la cabeza.

—Él violó a Lucy. Él, Hashim, Adebajo y todos los demás. Ellos la violaron, por Dios santo. Los malditos la *violaron*.

Ellman se encogió de hombros.

—¿Y cuál es tu punto?

No había nada en sus ojos, nada en lo absoluto. Ni sentimiento, ni simpatía, ni una pizca de humanidad. Era un hombre enfermo y no tenía objeto hablar con él.

—Olvídalo —suspiré, mirando en otra dirección—. No importa.

—Quieres venganza, ¿no?, quieres darles su merecido. De eso se trata todo esto, ¿no?

—Sí, si tú lo dices.

—Bueno, ¿es así o no?

No contesté.

De repente Ellman se inclinó hacia adelante y me gritó en la cara.

—¡Que me *respondas* ahora, maldito idiota! ¡AHORA!

—Sí —contesté con lentitud mirándolo de frente—. Es por venganza, de eso se trata todo esto. Venganza, castigo, retribución. Tú eres tan culpable de lo que le sucedió a Lucy como todos los demás que realmente lo hicieron.

—¿Ah sí? ¿Y cómo llegaste a esa conclusión?

—Porque tientas a la gente para que arruine y destruya todo.

—¿*Qué?* —preguntó frunciéndome el ceño.

—Tú arruinas a la gente. Tú y tu mundo arruinan vidas —encogí los hombros—. Así que, sí, he andado por todo el conjunto haciendo olas y toda esa mierda porque sabía que te haría enojar y que, al final, vendrías a buscarme. Y supongo que funcionó porque, pues, aquí estás.

Ellman sonrió.

—¿Y ahora qué?, ¿me vas a matar?

—Si tengo que hacerlo, sí.

Se rió y miró a O´Neil y a los otros.

—¿Ya escucharon? Ja, dice que me va a matar si tiene que hacerlo —todos se rieron. Luego él volteó hacia mí de nuevo—. Okey —dijo—, siguiente pregunta: ¿de qué se trata todo esto de iBoy?

Volví a encoger los hombros.

—No es nada en realidad.

—¿Nada?

—Es sólo un poco de diversión, ya sabes, vestirse como superhéroe, ponerse un disfraz y una máscara para que nadie me reconozca.

—¿Y en dónde están?

—¿En dónde está qué?

—El disfraz y la máscara, ¿en dónde están?

—¿Por qué?

—Eso no es una respuesta, es otra pregunta —le hizo una señal a Hashim y él volvió a enterrarle la pistola a Lucy otra vez. Ella se estremeció pero no hizo ni ruido.

—Está bien —le dije a Ellman levantando las manos—, está bien, ya no la lastimes más por favor.

—¿En dónde están el disfraz y la máscara? —repitió.

—No hay ningún disfraz —suspiré.

—¿Qué?

—No hay ningún disfraz ni ninguna máscara. Te lo aseguro, soy sólo yo.

Ellman se me quedó viendo un momento y luego miró a O'Neil.

—Yo, busca en su cuarto. Y en los otros también. Ve si puedes encontrar su maldito disfraz de iBoy; el disfraz, la máscara, la Taser, cualquier tipo de aparato.

O'Neil salió y Ellman me miró de nuevo.

—Entonces eres sólo tú, ¿verdad?

Asentí.

—Ellman sonrió.

—¿Quieres explicarme a qué te refieres?

En ese momento ya no tenía opción. Tenía que mostrarle todo porque, si no lo hacía, si trataba de ocultar lo que era y lo que podía hacer… bueno, ni siquiera podía imaginarme lo que le haría a Lucy.

No podía arriesgarme.

—Observa —le dije a Ellman y encendí mi iPiel. Sentí cómo empezaba a brillar y a titilar, y entonces vi su reacción. No se movió ni dijo nada por un rato, sólo se quedó ahí, mudo e incrédulo, contemplando con la boca abierta los cambiantes colores y formas de mi piel. Sin decir nada, le mostré mis manos y luego me levanté la camisa y le mostré el pecho para que viera que la iPiel me cubría por completo.

Después de un rato, susurró.

—Mierda, ¿cómo demonios *haces* eso?

—Es una larga historia —le dije.

—¿Ya viste, Tweet? —le preguntó al tipo negro sin quitarme los ojos de encima.

—¡Diablos, sí!

—Mierda —dijo Hashim—, es un maldito *fenómeno*, hombre.

No pude ver a Lucy, no la había mirado desde que le confesé a Ellman que era iBoy. Y ahora, bueno, pues Hashim tenía razón, *era* un fenómeno. ¿Y quién, en su sano juicio, quiere involucrarse con un fenómeno?

Apagué la iPiel.

Ellman me preguntó:

—¿Puedes encenderla y apagarla así nada más?

—Ajá.

—Maldita sea —me miró—, ¿y cómo funciona?

—No lo sé.

Escuché a O'Neil rompiendo todo en mi cuarto, vaciando cajones y aventando cosas por todos lados.

—No va a encontrar nada —le dije a Ellman.

—¿No?, ¿y qué hay de la Taser?

Suspiré.

—No hay ninguna Taser.

—¿Y los teléfonos y las computadoras o lo que sea que hayas estado usando para *hackear* y todo eso?

Me di varios golpecitos en la cabeza.

—Todo está aquí.

Ellman negó con incredulidad.

—No lo entiendo.

—Si te digo todo, absolutamente todo, ¿me dejas ir a ver cómo está mi abuelita? Sólo quiero asegurarme de que esté bien ¿okey? Ya sabes, ponerla cómoda.

Ellman lo pensó por un momento y luego asintió.

—Okey.

Así que comencé a decirle todo. Le conté que Davey Carr me había arrojado el iPhone desde la ventana de Lucy, que me había partido el cráneo y que tenía unos trocitos alojados en el cerebro. Le conté que esos fragmentos se habían fusionado conmigo y que me habían dado todos los poderes que tiene un iPhone y mucho más. Pero mientras le decía todo esto a Ellman, sólo podía mirar hacia el suelo y pensar en Lucy. Aunque en realidad se lo estaba contando a *ella*, todavía no me atrevía a mirarla; sólo podía contemplarla en mi corazón.

Cuando terminé de explicar todo, miré a Ellman de nuevo. Tenía los gélidos ojos azules clavados en los míos y no había ninguna emoción en su rostro.

—¿Eso es todo? —me preguntó.

—Ajá, sí, supongo que tal vez no lo crees, pero…

—Muéstrame.

—¿Qué?

—Muéstrame lo que puedes hacer.

—¿Y mi abuelita?, ¿la puedo ir a ver ahora?

—No.

—Pero tú dijiste…

—Te mentí —sonrió—. Ahora muéstrame lo que puedes hacer o voy y traigo a tu abuela y le arranco la maldita cabeza.

Por un momento me le quedé viendo lleno de odio y desprecio; lo que más quería en el mundo era *lastimarlo*, pero sabía que no estaba jugando. Sabía que él sí era capaz de matar a Abue sin siquiera pensarlo. Así que sólo asentí y vi cuando sintió que vibraba su teléfono.

—Contesta —le dije.

Sacó la Blackberry de su bolsillo y abrió el mensaje que le acababa de enviar.

Decía: *estás muerto.*

Me miró sonriente.

—Estoy impresionado.

—También te envié unas fotografías —le dije.

Abrió las fotografías. Una de ellas lo mostraba golpeando a Abue con el teléfono, la otra era de Hashim y Lucy, en otras se veía a O'Neil y al tipo llamado Tweet.

Ellman las estudió por un rato y luego volteó a verme.

—Y todo esto está en tu cabeza, ¿verdad?

Asentí.

—¿Tienes WiFi?

—Tengo todo.

—¿Entonces podrías estar llamando a alguien ahora?

—Podría pero no lo estoy haciendo.

—Bien, porque ya sabes lo que sucedería si llego a escuchar una sirena o si alguien se *acerca* a este departamento, ¿verdad?

Asentí.

—No voy a llamar a nadie.

Ellman se inclinó hacia mí.

—Porque no sólo le voy a dar cuello a tu perra...

—Ella no es mi *perra* —dije con frialdad.

—Ella va a ser la primera —continuó después de ignorarme—. Cualquier problema que me des, cualquier *cosita*, y voy a matar primero a la perra, luego a su familia, a tu vieja, y *además*, te voy a obligar a verme hacerlo. Luego te voy a matar a ti —sonrió—. ¿Entendiste?

—Sí.

—Okey, bien —encendió un cigarro—. Ahora, ¿qué pasa con todo el asunto ese de la electricidad del que me han hablado? Yoyo dice que le diste toques o algo así, ¿es cierto?

—Ajá.

—Muéstrame cómo lo haces.

Lo miré.

—¿A qué quieres que le dé la descarga? Te la puedo dar a ti si quieres.

Me sonrió.

—Ven aquí, Tweet.

Tweet se acercó y se puso de pie frente a mí. Era enorme, era un tipo grande, fuerte y sólido. En sus ojos no se podía ver la menor traza de miedo. El dolor no le atemorizaba.

—¿Puedes hacerlo sin mandarlo al hospital? —me preguntó Ellman.

214

Asentí y miré a Tweet

—Lo puedo lastimar tanto como quieras.

Ellman sonrió.

—Hazlo.

Vacilé por un momento porque estaba pensando en las opciones que tenía. Sabía que podía deshacerme de Ellman y de Tweet con una descarga fuerte, pero aun así, todavía quedarían Hashim y O'Neil. A O'Neil tal vez podría sorprenderlo porque todavía seguía buscando el disfraz en mi cuarto; lo sabía porque lo escuchaba romper todo.

¿Pero y Hashim…?

Me asomé un poco y vi que me observaba. Estaba seguro de que no podría alcanzarlo desde donde me encontraba porque él estaba en el otro extremo de la sala. Además, tenía la mano tan pegada a la pistola, y la pistola tan pegada a la cabeza de Lucy, que, incluso si *hubiera* podido hacerlo, la pistola se habría disparado con el menor movimiento de su dedo. Por otra parte, supuse que electrocutarlo provocaría que su dedo se moviera.

Entonces miré a Lucy.

Increíblemente, me parpadeó.

Dios, eso me hizo sentir tan bien.

—¿Qué diablos estás esperando? —me preguntó Ellman.

Lo miré, luego miré a Tweet y me estiré para tocar su rodilla. Como ya dije, era un tipo *enorme*. Así que, sólo para asegurarme de que lo sentiría, le di una descarga entre no tan terrible y bastante terrible. Y vaya que la sintió. Aulló de una forma bastante inesperada: sumamente aguda, como si fuera una chica. Cuando salió un rayo azul de su rodilla y la descarga le hizo dar una patada, se desplomó y cayó hasta el suelo.

—¡*Mierda*! —bufó y se abrazó la rodilla—. ¡*Dios mío*!

—¿Estás bien? —le preguntó Ellman.

—Sí —suspiró mientras se sobaba toda la pierna—. Maldita sea, eso sí que duele.

O'Neil entró de golpe a la sala después de escuchar el ruido que hizo Tweet al caer.

—¿Qué pasó? —preguntó mirando a Tweet—, ¿qué sucede?

—Nada, todo bien —dijo Ellman y luego miró a O'Neil—. ¿No encontraste nada, verdad?

O'Neil negó con la cabeza si poder apartar la vista de Tweet.

—No, todavía no, pero no he revisado los otros cuartos.

—No te preocupes —le dijo Ellman—, ya está todo solucionado.

—¿A qué te refieres?

Ellman lo ignoró y volteó hacia mí.

—¿Y siempre tienes que tocar a la gente para hacer eso? O sea, ¿no lo puedes hacer a distancia?

Titubeé por un momento porque el instinto me detuvo.

Ellman gritó.

—Maldita sea, no lo *pienses*, sólo respóndeme.

Suspiré y me di cuenta de que no tenía caso alguno mentir. Si le decía a Ellman que *sí* podía enviar descargas a distancia, de inmediato querría que se lo probara, y yo no podría. Y si le decía que no se lo iba a demostrar, entonces lastimaría a Lucy. Así que no tenía otra opción más que decirle la verdad.

—Puedo lanzar la descarga hasta un metro de distancia —le dije—, no más.

Asintió al mismo tiempo que veía cómo Tweet se ponía de pie.

—¿Todo bien? —le preguntó.

Tweet me miró con odio.

—Ajá, sí, estoy bien.

Ellman le sonrió.

—No te *ves* muy bien que digamos.

—Estoy bien —gruñó Tweet.

Ellman volteó hacia mí.

—Yo me dijo que trató de apuñalarte pero que le hiciste algo a su cuchillo.

Asentí.

—Es la electricidad, me cubre con una especie de campo de fuerza.

—¿Ah sí? Entonces si Tweet quisiera golpearte por lo que le acabas de hacer, ¿qué pasaría?

—Se lastimaría todavía más.

Ellman sonrió.

—¿Entonces también eres a prueba de balas?

—No lo sé —encogí los hombros—, todavía nadie ha tratado de dispararme.

Ellman me miró por un momento. Era como si quisiera atravesarme con los ojos. Luego O'Neil gritó:

—Se está despertando —dijo, y ambos lo miramos. Estaba asomado en la puerta viendo hacia el pasillo.

—La vieja —dijo mirando a Ellman—, ya está volviendo en sí.

—Átenla —dijo Ellman— y quítenla del camino.

O'Neil asintió y caminó por el pasillo. Yo tuve que forzarme a no decir ni hacer nada, a no consentir a las ganas de asesinar que había en mi corazón.

Miré a Ellman. Estaba sentado fumando un cigarro y mirando hacia la nada con esa máscara de concentración que tenía.

Volteé a ver a Lucy; la sangre que le había salido de la cortada le manchó el camisón. Lucía pálida y asustada, pero en su silente mirada pude ver una fuerza oculta, una especie de fe… la creencia de que, a pesar de todo lo que había pasado, lo que estaba pasando y lo que iba a suceder, al final, saldríamos juntos de ello.

Ella en verdad lo creía así.

Le sonreí, tratando de mostrarle que compartía sus sentimientos.

A pesar de que no era así.

—Es una lástima —dijo Ellman y yo lo miré.

—¿Qué?

Ellman suspiró.

—Pues creo que tú y yo realmente podríamos haber hecho algo grande juntos. Con tus poderes y mi experiencia, o sea, que se pudra Crow Town. Podríamos habernos apoderado de cualquier lugar que deseáramos. Podríamos haber hecho *millones*… —me miró con desdén—. Pero tú jamás podrías hacerlo, ¿verdad? Eres demasiado débil. Demasiado *recto* —sacudió la cabeza—. Y no, yo no podría trabajar así, me volvería loco —suspiró—. Como ya dije, es una lástima, pero negocios son negocios —me sonrió—. Eso es todo, ¿sabes?, todo esto, la vieja, la perra esa de ahí… tú, todo es puro negocio.

Ni siquiera me molesté en voltear a verlo. Él resolló.

—Sí, bueno, pues acabemos con esto —se levantó y gritó—: ¡Yo!, ¿ya terminaste?

O'Neil le contestó desde el cuarto de Abue.

—Sí, sólo un minuto.

—¿Qué estás haciendo?

—Nada, sólo estoy echando un vistazo.

—Ya déjalo; nos vamos.

—Hay buenas cosas aquí. *Laptops*, joyería…

—¡Carajo, te dije que lo dejaras! —gritó Ellman y luego volteó a ver a Tweet—. Llama a Gunner, asegúrate de que estemos cubiertos y luego revisa el corredor.

Tweet sacó un teléfono de su bolsillo, oprimió un botón y salió al pasillo. Escuché la llamada y la rastreé hasta otro celular que estaba abajo en la plaza, cerca de la entrada al edificio.

—¿*Sí*?

—*Ya vamos a salir, ¿todo en orden?*

—*Sí, tranquilo.*

—Levántate —me dijo Ellman.

Lo obedecí.

Tweet volvió a entrar.

—Tenemos paso libre.

Ellman asintió.

—Tú ve primero, Tweet. Hash, síguelo —volteó a O'Neil, quien seguía de pie junto a la puerta—. Tú sigue a Hash, ¿okey?

O'Neil asintió.

—Tú sigue a Yo, ¿entendiste? —me dijo Ellman.

—Sí.

—Yo voy a estar justo detrás de ti. ¿Hash?

—¿Sí? —contestó Hashim.

—¿Cómo vas con esa pistola?

—Me duele la mano.

—¿Ya lo escuchaste? —me dijo Ellman—. Le duele la mano. Ya lleva una hora pegada con la cinta, lo más probable es que se le esté entumiendo el dedo. Bastaría cualquier cosa para que jale el gatillo y, si lo hace, será tu culpa. ¿Entiendes?

—Sí, entiendo.

—Muy bien, vámonos.

10110

Aquí están la comedia y la tragedia... Aquí está el melodra-
ma... Aquí, las emociones desnudas. Aquí también hay una
democracia privada que va más allá de toda típica discrimina-
ción social y racial. La pandilla, en pocas palabras, es la vida...

FREDERIC THRASHER, *The Gang* (1927)

Salimos del departamento a las 03:15:52. Caminamos por el corredor
hasta el elevador. No había nadie alrededor, el edificio se sentía helado y vacío. En el aire prevalecía el silencio de la mañana temprana,
el cual se sumaba a la sensación de vacuidad. El sonido de nuestros
pasos hizo eco débilmente en la quietud. El ascensor estaba abierto,
lo habían atorado con una barra de fierro. Cuando nos acercamos a
él, me pregunté si ése sería mi último viaje.

Mi última vez en este corredor.

Mi último tiempo en el ascensor.

Mi último tiempo en el esplendor de concreto del viejo edificio
Compton House.

Sonreí para mí y pensé: "Bueno, pudo haber sido mucho peor, ¿no?
Pero claro, también pudo haber sido mucho mejor..."

Subimos al ascensor y, cuando las puertas se cerraban, miré a Lucy.
En ese momento, el picnic que habíamos tenido unas horas antes
parecía de un mundo completamente distinto, un mundo que había
existido mil años atrás. Y a pesar de que, en su momento, pareció ser
el principio de algo entre Lucy y yo, ahora parecía ser lo único que
tendríamos: el principio, la mitad, el final. Pero a pesar de eso, sabía
que, si ése iba a ser mi, *nuestro*, viaje final, ese breve tiempo que com-

partimos juntos en la azotea sería por siempre el mejor tiempo de mi vida.

"Sí —pensé mientras le sonreía a Lucy—, pudo haber sido mucho peor."

—¿Por qué sonríes? —me preguntó Hashim con desprecio.

Lo miré.

—No, de nada, sólo pensaba en lo afortunado que soy, eso es todo.

—¿Afortunado? —dijo al mismo tiempo que negaba con la cabeza—. Eres un maldito fenómeno.

Cuando el ascensor llegó a la planta baja, le dije a Ellman:

—¿Qué hiciste con la mamá y el hermano de Lucy?

No me contestó, ni siquiera se molestó en mirarme. Sólo esperó. Sus ojos lo estaban registrando todo mientras Tweet revisaba la planta baja y se aseguraba de que no hubiera nadie. Luego, después de que Tweet le diera la señal, Ellman le indicó a Hashim que se moviera. Hashim salió con Lucy del ascensor. O'Neil los siguió. Ellman me miró, me hizo una señal y yo seguí a O'Neil. Ellman iba atrás, muy cerca de mí.

Dos Range Rover negras con vidrios polarizados esperaban afuera del edificio, cerca de la entrada.

Ahora que estaba completamente seguro de que nos íbamos del edificio, envié un mensaje de texto que ya había escrito en mi cabeza y lo envié a la policía local y a los servicios médicos. El texto decía: ¡¡¡URGENTE!!! ¡AYUDA POR FAVOR! LA SEÑORITA CONNIE HARVEY DE 54 AÑOS FUE ATACADA Y RECIBIÓ UN FUERTE GOLPE EN LA CABEZA. NECESITA ATENCIÓN MÉDICA INMEDIATA. ATACANTES DESCONOCIDOS LA DEJARON ATADA EN SU CUARTO DEL DEPARTAMENTO 4 DEL PISO 23 DE COMPTON HOUSE, EN EL CONJUNTO CROW LANE, LONDRES SE15 6CG. LA SEÑORA MICHELLE WALKER Y SU HIJO BEN TAL VEZ TAMBIÉN NECESITAN AYUDA EN EL DEPARTAMENTO 6 DEL PISO 30. ESTO NO ES UNA BROMA, POR FAVOR APRESÚRENSE.

Las dos Range Rovers esperaban encendidas. Mientras Tweet, Hashim y Lucy se dirigían a la del frente, Ellman me ordenó seguir a O'Neil a la otra. Por encima del hombro alcancé a ver que Hashim y Lucy entraban con dificultad a la parte trasera de la primera camioneta. Tweet se subió al asiento del pasajero. Luego Ellman abrió la puerta trasera de nuestra camioneta y me ordenó que subiera.

Lo obedecí.

Él se sentó junto a mí.

O'Neil se sentó en el asiento del pasajero.

El tipo en el asiento del conductor tenía la capucha puesta, así que todo lo que pude ver de su cara en el espejo retrovisor fueron sus lentes oscuros y parte de su descuidada y enredada barba. Al revisar el registro de sus llamadas, supe que era Gunner.

—¿Todo bien? —le gruñó a Ellman.

Ellman lo ignoró y sólo se fijó en que la camioneta de enfrente arrancara. Luego dijo:

—Vámonos.

Salimos de Compton de inmediato y nos dirigimos al sur por Crow Lane. Ambas camionetas iban a sesenta kilómetros por hora. No era tan rápido como para que las llegaran a detener, ni tan lento como para llamar la atención. Ellman encendió un cigarro y se recargó en el asiento. Se veía totalmente relajado y tranquilo. Miré por la ventana un rato, vi todo lo que iba pasando del conjunto, la zona de juegos, los edificios más altos, los bajitos, Fitzroy House, Gladstone, Heath. Había algo de gente por ahí, algunos chicos pandilleros cerca de los edificios, uno o dos coches que pasaron cerca. Pero resultaban tan inútiles en ese momento, que bien podrían haber estado en otro planeta. Ya no necesité que me repitieran que Hashim le dispararía a Lucy si yo intentaba hacer algo, sólo dejé de pensar en eso.

—¿A dónde vamos? —le pregunté a Ellman cuando pasamos por Heath House y seguimos avanzando hacia el sur.

—Ya te enterarás cuando lleguemos ahí —me dijo.

Yo me lo quedé viendo.

—¿Cómo supiste que era yo?

—¿Eh?

—¿Cómo supiste que era iBoy?

Se encogió de hombros.

—¿Acaso importa?

—No, en realidad no —le sonreí—, pero si estuviéramos en una película de James Bond, éste sería el momento perfecto para que el supervillano loco le demostrara a Bond lo inteligente que es, explicándole, de una forma totalmente innecesaria, cómo hizo todo.

Ellman sonrió.

—Ja, sí, justo antes de tratar de matar al maldito.

—Sí, y de que Bond escape.

Se me quedó viendo.

—Pero la vida real no es como en las películas.

—Eso es verdad.

Volvió a sonreír.

—O sea, ¿acaso crees que te voy a colgar con una soga sobre un estanque de malditos tiburones o algo así?

—Probablemente no.

Se rió.

—Y tú no eres precisamente el maldito James Bond, ¿verdad?

—Supongo que no, ¿y tú?

—¿Yo *qué*?

Le sonreí.

—¿Eres el supervillano loco?

—Maldita sea, claro que *sí*. Soy Hell-Man, soy el Diablo.

—Y yo soy iBoy.

Se me quedó viendo, muy entretenido en verdad.

—¿Entonces cómo te enteraste? —le volví a preguntar.

Se rió.

—Fue el niño, el hermano de la perra. ¿Cómo se llama?

—¿Ben?

—Ajá. Él les dijo a Troy y a Jermaine que cuando estabas tratando de arrojar a Yo por la ventana y su hermana te vio, él la escuchó susurrar algo. —Ellman sacudió la cabeza incrédulo—. El idiotita pen-

223

só que ella había dicho *eBay*, pero luego Yo se acordó de que un par de semanas atrás, uno de sus muchachos te había llamado *iBoy*, ya sabes, cuando te molestaban todo el tiempo por lo del iPhone. Y pues atamos cabos y aquí estamos —me miró—. ¿Satisfecho?

—Sí.

—¿Listo para que te cuelgue sobre los tiburones?

—Claro que sí.

Me sonrió por un momento; luego se volteó y miró un rato por la ventana. Iba revisando todo, asegurándose de que todo fluyera.

—¿Ves algo? —le preguntó a Gunner.

—No, todo *cool* —le contestó.

—Okey, da la vuelta a la derecha en el puente y dirígete de regreso al norte. Yo, llama a Marek y avísale.

O'Neil llamó a la otra camioneta y le pasó las instrucciones al conductor, que supuse que era Marek. Ellman se volvió a recargar en el respaldo y siguió fumando su cigarro.

Miré hacia afuera por un rato, estaba tratando de dilucidar adónde íbamos, pero me dio la impresión de que sólo estábamos dando vueltas en círculos. Me conecté a la señal de GPS dentro de mi cabeza, me metí a Google Maps y dejé que mi iCerebro hiciera su trabajo.

—Bueno, así que —dijo Ellman en un tono muy casual y volteando a verme— eres el hijo de Georgie Harvey, ¿eh?

No dije nada, sólo me le quedé viendo; me preguntaba cómo demonios sabía el nombre de mi mamá.

Ellman sonrió.

—Supongo que no recuerdas mucho de ella, ¿verdad? Cuando murió debes haber tenido, ¿qué?, ¿unos seis meses? —me miró, siguió fumando y esperó a que le dijera algo. Como no lo hice, volvió a fumar un poco más, lo arrojó por la ventana y continuó—. Georgie era muy especial, ¿sabes? ¿Ya te lo habían dicho antes? Era una chica candente y también tenía mucha determinación —volvió a sonreír—. Mierda, esa perra sí que luchaba.

Estaba demasiado confundido, me sentía muy desconcertado por lo que me decía. Me estaba costando tanto trabajo respirar que ni siquiera intenté hablar.

—¿Qué pasa? —dijo Ellman sonriéndome—. ¿A poco no sabías lo de tu mami y yo?

Escuché las risitas de O'Neil, pero no le quité de encima los ojos a Ellman. No *podía* dejar de verlo.

—¿Conociste a mi mamá? —murmuré.

—Oh sí —dijo con una mirada lasciva—, vaya que la *conocí*. De hecho, fui el primer hombre al que Georgie *conoció*. Claro que después de mí vinieron muchos más.

—Mientes —le dije.

Ellman me miró.

—¿Tú crees?

Asentí.

—Tú no conociste a mi mamá.

Se volvió a reír.

—Te estoy diciendo la verdad, eso es todo.

—¿La verdad? —le pregunté mirándolo con desprecio—. ¿Tú que sabes sobre la verdad?

Dejó de reírse de repente y se me quedó viendo con sus gélidos ojos.

—Te voy a decir lo que sé —dijo con frialdad—. Tu madre era una maldita putita que habría hecho cualquier cosa por una línea de coca, eso es lo que sé. Y también sé lo mucho que me costó romperme a esa perra y mandarla a la calle, a donde pertenecía. ¿Y luego qué hizo? ¿Después de todo lo que había hecho por ella? Se embaraza y dice que se quiere salir, que ya no quiere jugar, que quiere limpiarse, maldita sea.

Ellman hizo una pausa y alejó su mirada de mí. Yo sólo pude quedarme ahí sentado. Estaba aletargado, me sentía incapaz de digerir lo que me decía o de lo que *creía* que me estaba diciendo. Era demasiado doloroso.

—Sí, bueno —continuó Ellman retomando su tono casual—, recibió su merecido.

—¿Qué?

—Ella sabía lo que le pasaría si me dejaba. Porque, vaya, *a mí* nadie me deja. Nadie. Y ella lo sabía, lo sabía. Ella sabía lo que yo tenía que hacer.

—¿Qué? —le pregunté casi imperceptiblemente—, ¿qué tenías que hacer?

Ellman puso cara de sorpresa, como si la respuesta fuera obvia.

—Tenía que matarla.

—¿Matarla?

Se encogió de hombros.

—¿Qué más podía hacer?

Negué con la cabeza lleno de incredulidad.

—Mi mamá murió en un accidente.

—No fue un accidente.

Me le quedé viendo.

—¿En verdad me estás tratando de decir que tú fuiste el conductor que atropelló a mi mamá?

Me miró por un momento con un rostro fatalmente serio. Y luego, de repente, sonrió y comenzó a carcajearse.

—Ja, casi te la creíste, ¿verdad? —dijo—, casi te la crees.

—No entiendo.

—Yo no la *maté* —dijo, todavía riéndose—, sólo quería joderte, eso es todo.

—¿Tú *no* mataste a mi mamá?

Sacudió la cabeza, sonriendo.

—Como dijiste, *¿tú qué sabes* sobre la verdad?

O'Neil y Gunner se morían de la risa, resoplaban y se regodeaban de la maravillosa broma de Ellman; sus estúpidas y chillonas voces inundaban la camioneta. Yo sólo miré por la ventana y traté de pensar. ¿Estaría Ellman mintiendo? ¿Realmente habría conocido a mi madre? ¿Habría *algo* de verdad en todo lo que me dijo?

Pero no podía pensar en eso.

Era demasiado difícil.

Bloqueé mis emociones durante un rato para poder concentrarme en alinear el cibermapa que estaba en mi cabeza con lo que veía por la ventana de la camioneta. No me tomó mucho tiempo darme cuenta de que estábamos en el lado oeste de los edificios y que nos dirigíamos de vuelta al norte, hacia la zona industrial.

Miré a Ellman. Había dejado de reírse y ahora sólo estaba sentado fumando su cigarro y mirándome con indiferencia.

—¿Por qué lo haces? —le pregunté.

—¿Hacer qué?

—Todo esto, joder a la gente, lastimarla, violar, matar, o sea, ¿por qué lo *haces*?

Se encogió de hombros.

—Ya te dije, son negocios.

Me le quedé viendo.

—¿Negocios?, ¿cómo puede ser negocio violar y matar gente?

Suspiró.

—No entiendes.

—No, no entiendo.

—Sólo se trata del poder —dijo—, todo, todo en el maldito planeta tiene que ver con el poder. Si tienes poder, entonces sobrevives, si no, no. Es así de sencillo. El poder es la ley, es lo que rige a esta porquería de mundo. ¿Me entiendes? Y aquí abajo —dijo, señalando por la ventana, refiriéndose a las calles, los edificios a lo lejos, el mundo de Crow Town—, la única ley aquí abajo, la única forma de adquirir, establecer y mantener tu poder es a través de la violencia. —Me miró con mucha dureza—. Violar, asesinar, lo que sea... no es algo personal, no lo hago por diversión. Es decir, no estoy diciendo que *no* lo disfrute, porque en realidad sí lo hago, sin embargo, ésa no es mi *motivación*. Lo hago porque de esa manera les demuestro a los demás quién soy y lo que puedo hacer. De esa forma le muestro al mundo lo que soy.

—¿Y eso es todo? —le pregunté—. ¿Matas, violas y tratas a la gente con brutalidad sólo para mostrarle al mundo lo que eres?, ¿ésa es tu *razón*?

Se encogió de hombros.

—Es una razón tan buena como cualquier otra.

Me le quedé viendo.

—Pero seguramente sabes que es incorrecto.

—¿Incorrecto? —se rió—, ¿y qué tiene que ver lo *incorrecto* con todo lo demás? —me miró—, ¿tú crees que es *incorrecto* que un perro mate a un gato?

—Eso es muy distinto.

—¿Por qué?

—Porque los perros son animales y no razonan.

—¿Qué?, ¿y tú crees que *yo* sí?, ¿crees que alguien razona? No jodas hombre, todos somos animales, ninguno de nosotros razona.

Estábamos ahí sentados mirándonos: el llorón y el demonio, iBoy y Hell-Man, ahí, juntos en el asiento trasero de una Range Rover negra. Eso me hizo pensar en qué pasaría si, de alguna manera muy retorcida, él tuviera la razón. Porque quizá nadie pensaba, tal vez sí éramos todos animales y tal vez…

Dejé de pensar en ello porque la camioneta aminoró la marcha. Miré por la ventana y vi que la otra Range Rover había dado la vuelta y comenzaba a ascender lentamente por una callejuela sin iluminación. La seguimos. La callejuela estaba dispareja y llena de baches y topes. La camioneta iba saltando en el ascenso y las luces gemelas de los faros iluminaban los fantasmales restos de la vieja zona industrial: contenedores oxidados, fábricas vacías, naves industriales vacías, bodegas abandonadas…

La camioneta de enfrente giró de nuevo a la derecha. En esta ocasión llegó a una plaza vacía que, probablemente, alguna vez fue un estacionamiento. Un estacionamiento para los empleados que tal vez alguna vez trabajaron en la dilapidada bodega que estaba en el extremo del baldío.

—Síguelos a la parte de atrás —le dijo Ellman a Gunner.

Seguimos a la otra camioneta. Ésta atravesó el baldío con un estruendo y se dirigió a la bodega por atrás. Ahí fue donde nos detuvimos.

Miré al otro vehículo para tratar de ver a Lucy, pero estaba demasiado oscuro.

—No te preocupes —dijo Ellman—, la vas a ver en un minuto.

Me le quedé viendo.

—¿Qué le vas a hacer a ella?

—Lo mismo que le hice a tu madre.

—¿Qué?

Sonrió fríamente.

—Debiste ver la cara que puso esa perra cuando la atropellé.

—Pero tú dijiste…

—Ah sí, lo sé. Te dije que había bromeado respecto a lo de Georgie, pero no es así —me sonrió—. O tal vez sí pero, creo que ahora, nunca te vas a enterar, ¿verdad?

Se movió con mucha rapidez, me golpeó con la cabeza a una velocidad asombrosa y con mucha fuerza. Ni siquiera me dio tiempo de sentirme confundido, no me dio tiempo de nada. Lo único de lo que estuve un poco consciente fue del impacto, el momentáneo *flash* de un dolor insoportable.

Y luego, nada.

10111

De pronto, abro los ojos y veo a Lucy al otro lado del interior de la bodega. La cabeza me palpitaba, tenía la visión borrosa y en la boca sentía el agrio sabor de la sangre. Después de forcejear inútilmente durante unos momentos, me di cuenta de que casi no me podía mover. Estaba atado a una viga de acero con trozos de alambre que me constreñían. Mis manos, mis pies, incluso el cuello, todo estaba amarrado con tanta firmeza que lo único que podía mover era la cabeza.

Pero nada de eso importaba.

Lo único que importaba era Lucy.

Estaba como a veinte metros de distancia, al otro lado de la bodega. Estaba arrodillada y Ellman estaba frente a ella con un largo cuchillo plateado en la mano. La boca de Lucy continuaba sellada pero Hashim ya no le estaba apuntando a la cabeza. Ahora estaba a mi lado, y en cuanto se dio cuenta de que yo había recobrado el conocimiento, levantó su pistola y la puso a la altura de mi cabeza.

En cuanto Ellman percibió el movimiento de Hashim, volteó hacia donde estábamos. Su cuchillo atrapó la tenue luz amarilla de una linterna eléctrica que colgaba de la pared, y por sólo un instante, el destello de luz que reflejó pareció iluminar toda la bodega. Era un lugar bastante extenso; las paredes cubiertas con láminas de metal estaban llenas de óxido; el suelo de concreto parecía desmoronarse y del techo colgaban docenas de cables eléctricos pelados. Fuera de eso, no había mucho más que ver. Tal vez sólo los remanentes de las antiguas máquinas, algunas cajas de madera rotas, latas vacías de gas, un par de sillas desvencijadas…

—¿Qué opinas? —me preguntó Ellman—, ¿te gusta?

No le contesté, estaba demasiado ocupado escudriñando el lugar para ver en dónde estaban los otros. Hashim estaba junto a mí, como mencioné antes; O'Neil estaba atrás de Ellman y Lucy, apoyado en el marco de una ventana; Tweet estaba fumándose un churro con toda calma, sentado en una de las viejas sillas. Marek y Gunner, los conductores de las camionetas, estaban a mi izquierda, supervisando todo junto a unas puertas de madera.

Eran seis.

Yo era uno.

Y ni siquiera tenía mis iPoderes.

—¿Qué pasa, muchacho? —me preguntó Ellman—. ¿Ya no vas a platicar conmigo?

Elevé la mirada y lo vi cruzar la bodega para acercarse a mí. Me sonrió.

—¿Cómo está tu cabeza? Todavía no he roto nada ahí adentro, ¿verdad?, ya sabes, ¿no te rompí algún circuito o algo así? —se detuvo a unos cuantos metros—. ¿O tal vez sucede que, sin señal, no puedes saberlo? —metió la mano a su bolsillo, sacó la Blackberry y revisó la pantalla—. Nop —dijo, negando con la cabeza—, todavía no hay barritas aquí —me miró sonriendo—. ¿Y tú?, ¿tienes señal?

No le contesté.

Volvió a poner su teléfono en el bolsillo y me dijo:

—Supongo que sin señal, estás jodido —me miró—. ¿Estoy en lo cierto?

Continué sin contestarle pero él no dejaba de sonreír.

—Sin señal, sin WiFi, sin cel, sin energía… —sacudió la cabeza hacia el frente, fingiendo que me golpeaba con ella como lo había hecho poco antes— y sin campo de fuerza —miró a Hashim—. ¿Tú qué opinas, Hash?

Hashim sonrió de oreja a oreja.

—Ja, sí, yo diría que ya se jodió por completo.

Ellman se acercó un poco más y me miró directo a los ojos.

—Claro que también *podrías* estar fingiendo, ¿no es así? Podrías estar fingiendo que no tienes poderes para hacernos creer que podemos relajarnos para que, cuando menos nos lo esperemos, ¡zap! —dio una fuerte palmada—, nos frías a todos —volvió a sonreír burlonamente—. El único problema es que *no puedes* freírnos a todos, ¿verdad? Porque en este momento tal vez sólo nos alcanzarías a mí y a Hash, pero los demás están demasiado lejos. Así que, incluso si pudieras acabar con dos de nosotros, todavía quedarían Tweet por allá, Gunner y Marek, ah, y no olvides a Yoyo. ¿Ves a lo que me refiero? Aunque nos hicieras volar a mí y a Hash, de todas formas seguirías atado a esa viga y Yoyo todavía tendría oportunidad de ponerse a jugar con tu noviecita.

Miré a Lucy. Seguía arrodillada en el mismo lugar con la cabeza agachada; sus ojos estaban vacíos e inmóviles, estaba conmocionada en la nada.

No podía permitir que le sucediera algo.

No otra vez.

Tenía que actuar.

—¿Tú qué opinas, Hash? —escuché que preguntaba Ellman—, ¿crees que esté fingiendo?

—Como tú dices, no importa —dijo Hashim—, de todas formas se van a joder los dos —comenzó a reírse de una forma tan infantil y peculiar que, por alguna razón, me irritó demasiado. Limpié el interior de toda mi boca con la lengua, giré la cabeza y le escupí sangre en la cara.

—¡*Imbécil!* —gritó, echándose para atrás.

Ellman reía mientras Hashim se limpiaba el escupitajo de sangre. Volví a mirar a Lucy y me di cuenta de que no se había movido; seguía arrodillada, como muerta para el mundo.

—¡*Luce!* —le grité— ¡*Lucy!*

Levantó la cabeza y volteó a verme lentamente.

—¡*Todo va a estar bien!* —le dije—. ¡*No te preocupes, todo va a estar…*

Hashim me golpeó con el cañón de la pistola y un dolor inconmensurable me atravesó la cara. Traté de que mi llanto no fuera evidente, pero fue imposible ocultarlo. El dolor era tan crudo, tan profundo, que sentía como si me hubieran destrozado la cara. Volteé a donde estaba Hashim y, con los ojos entrecerrados por el ardor, lo vi levantar la pistola de nuevo con la mirada llena de ira. Me preparé para recibir el siguiente golpe.

Pero entonces escuché la voz de Ellman.

—Es suficiente.

Vi a Hashim titubear, le urgía lastimarme pero no lo suficiente como para desobedecer a Ellman. Bajó la pistola y dio un paso hacia atrás sin dejar de mirarme con todo su odio.

—Todavía no, ¿okey? —le dijo Ellman— Quiero que permanezca consciente un rato más, quiero que sepa lo que está sucediendo, ¿está bien?

Hashim asintió.

—Después podrás hacerle lo que se te dé la gana —agregó Ellman.

Luego volteó a verme.

—Ya sabes lo que va a suceder ahora, ¿verdad? O sea, ya sabes lo que voy a hacer.

No dije nada, sólo me le quedé viendo. Pero en realidad no lo estaba viendo a él; a pesar de que tenía los ojos abiertos, en mi mente los tenía cerrados. En ese momento estaba buscando en lo más profundo de mí. Estaba hurgando en mi iCerebro, en mis iSentidos, mis iPoderes. Buscaba algo, lo que fuera, buscaba, buscaba, buscaba…

No había señal ni recepción, pero tenía que encontrar algo, *tenía que, tenía que* ser iBoy porque sólo así conseguiría una oportunidad de salvar a Lucy.

Ellman ya había empezado otra vez a insultarme con el asunto de mi madre:

—...porque te voy a decir otra cosa sobre mí y la pequeña Georgie, algo que *realmente* te va a poner a pensar...

Pero yo seguía sin escucharlo. No podía hacerlo. Yo era iBoy y no estábamos ahí. Estábamos en lo más profundo de nosotros, tratando de salir, extendiéndonos, extendiéndonos, extendiéndonos hacia afuera, hacia el cielo.

—... y te aseguro que *ella* también lo pensó porque, vaya, Georgie y yo lo hicimos un montón de veces, y porque hasta cuando ella trabajaba en la calle, me seguía deseando, siempre pasa así...

Sabíamos que estaba ahí, en algún lugar, *sabíamos* que la señal estaba ahí, tal vez a un kilómetro, tal vez a menos distancia; quizá eran sólo unos cien metros, o posiblemente a la vuelta de la esquina. Estaba ahí, estaba ahí... *estaban* ahí. Las ondas de radio de la estación base más cercana, las frecuencias, los ciclos, los caminos estaban ahí, además de toda la estática extraviada que nos rodeaba. Sabíamos que todo *eso* también estaba en la bodega. Sólo necesitábamos enfocarlo hacia nuestros receptores de señales.

Cerramos los ojos y nos concentramos.

—...así que bueno —continuó Ellman—, la cuestión es que cuando Georgie se embarazó, en verdad era muy probable que fuera mío, y si efectivamente era *mío*... vaya, pues, demonios...

Entonces se rió.

—¿Te das cuenta de lo que estoy diciendo?

Entonces comenzamos a sentir algo, como un empuje, como una fuerza en el aire, algo que nos *elevaba*, que nos estaba sacando de la cabeza, que expandía nuestro alcance y lo llevaba más allá del techo, que lo llevaba hacia el cielo nocturno, por encima de los viejos edificios y fábricas, y entonces...

—Yo podría ser tu maldito *padre*.

Y entonces la teníamos.

—¡Oye! ¿me estás *escuchando*?

Teníamos una conexión, una conexión sólida.

—¡Di algo, imbécil!, ¡*di* algo, maldita sea!

Teníamos una *conexión*.

Abrí los ojos en mi mente y vi el rostro de Ellman, desfigurado por la ira, perdido en el mío.

—Si fueras mi padre —le dije—, me suicidaría.

Sin decir una sola palabra, levantó el largo cuchillo plateado y con delicadeza colocó la afilada punta en mi frente. Rasgó con ella mi piel teniendo mucho cuidado de no cortar muy profundo y correr el riesgo de que me desmayara. Yo, efectivamente, sentí el dolor y la calidez de mi sangre cuando se derramaba por mi cara.

Pero eso no cambió nada.

Seguíamos conectados.

—Maldito superhéroe —me dijo con desprecio al mismo tiempo que revisaba la ensangrentada punta del cuchillo—. Al parecer a ti te sale sangre igual que a cualquiera de los otros imbéciles a los que he cortado —me miró—. Ahora sí te vamos a ver suplicar.

Cuando se dio vuelta y comenzó a caminar hacia Lucy, sentí que la energía en mi interior empezaba a expandirse. Pero, ¿qué podía hacer con ella? De nada serviría lanzarles una descarga a Ellman y a Hashim porque después, yo todavía seguiría amarrado. Por otra parte, el alambre con el que estaba amarrado a la viga era tanto y estaba tan apretado, que tronarlo o derretirlo con una descarga eléctrica resultaba altamente improbable. E incluso si hubiera *podido* zafarme del alambre con una descarga y deshacerme de Ellman y Hashim al mismo tiempo, bueno, pues todavía habrían quedado O'Neil y los demás. Asimismo, aunque existía una mínima probabilidad de que después de haberme deshecho de Ellman y Hashim, los otros, Gunner, Marek y Tweet, decidieran retirarse del juego y salir huyendo, estaba seguro de que O'Neil no se echaría para atrás.

Llegaría hasta Lucy antes de que yo pudiera alcanzarlo.

Y yo no podía permitir que eso sucediera.

No podía permitir que *ese* animal se le acercara otra vez.

Así pues, como Hashim ya lo había dicho con tanta elocuencia: yo estaba jodido.

Fue por eso que, a pesar de que tenía el corazón hecho pedazos, lo único que pude hacer fue quedarme inmóvil y ver cómo caminaba Ellman por entre la luz llena de polvo, hasta donde estaba Lucy.

11000

El conocimiento es poder.

Francis Bacon
Meditationes Sacrae. De Haeresibus (1597)

Todavía no estoy seguro de que, efectivamente, el conocimiento *sea* poder, pero cuando Ellman se quedó parado frente a Lucy con el cuchillo en la mano, viéndola con esa mirada vacía de malevolencia, de deseo y de cualquier otra emoción, bueno, pues en ese preciso momento me bastó con el conocimiento.

Mi iCerebro *tenía conocimiento.*

Sabía…

Hechos, noticias, información…

Y por otra parte, yo sabía que tenía que hacer algo con ese conocimiento porque Ellman ya estaba inclinado sobre Lucy, quitándole la cinta, y entonces pude ver que ella lloraba.

Yo también lloraba.

—¿Tom? —dijo Lucy entre sollozos.

Su voz era apenas perceptible debido al miedo; tenía el rostro pálido y grisáceo por la conmoción, pero cuando nuestras miradas se encontraron, me di cuenta de que en sus ojos todavía se ocultaba aquella fortaleza y que, a pesar de todo, estaba tratando de sonreírme.

Yo le devolví el gesto.

Ellman la abofeteó.

237

—Demonios, no lo mires a *él* —le dijo con bastante calma—. Mírame a mí, ¿me *escuchaste*? No quiero que despegues los malditos ojos de mí.

Lucy lo miró con abominación, y él, como si nada, levantó el cuchillo que tenía en la mano y se lo acercó al rostro.

—Si te quedas hincada y no dejas de mirarme, tal vez decida no cortarte, ¿comprendes?

Lucy no dijo nada, sólo continuó mirándolo. Supe que no tenía intención de perder sin luchar, y eso significaba que yo tenía que actuar *de inmediato*, antes de que ella hiciera algo y la mataran. Tenía que mirar dentro de mí y usar todo lo que poseía: los iSentidos, el iConocimiento, los iPoderes y mi *iSer*. Tenía que enfocarlo todo al mismo tiempo en un instante imperecedero, en el instante de mi única esperanza final.

Cerré los ojos

El iConocimiento ya estaba ahí… *Si una batería de litio se sobrecarga, este metal blindará, es decir, se adherirá al ánodo y eso provocará que se comience a generar oxígeno en el cátodo. El oxígeno resulta altamente inflamable y por lo tanto, representa un riesgo de incendio* —las iNoticias también estaban ahí…—. *Un hombre falleció cuando su teléfono celular explotó y le cortó una arteria importante del cuello… los reportes locales indican que ésta es la novena explosión de un celular registrada desde 2002* —y también ya había registrado la bodega e identificado la posición de los seis teléfonos celulares. El de Ellman continuaba en el bolsillo de su saco, el de Hashim estaba en el bolsillo trasero de sus jeans, el de O'Neil, en el bolsillo delantero de sus pants, el de Tweet estaba prendido a su cinturón, el de Gunner estaba en el bolsillo de su camiseta y el de Marek, en el bolsillo frontal de sus jeans.

Abrí los ojos.

Ellman ya estaba más cerca de Lucy. Ella seguía de rodillas y no había dejado de mirarlo. O'Neil se había levantado de la silla y ahora estaba por ahí cerca. En los ojos se le podía ver una emoción enfermiza. Con una sonrisa gélida, Ellman apuntó el cuchillo hacia la parte superior del camisón de Lucy y ella arremetió contra éste. Pero Ellman estaba preparado, por lo que retiró con toda rapidez la mano en la que tenía el cuchillo y luego le dio a Lucy una bofetada con la otra mano. Cuando la vi gritar y caer de nuevo sobre las rodillas, le grité.

—¡Lucy! No me mires, *no voltees*. No hagas *nada*, ¿okey? *No* lo enfrentes y no te muevas, sólo espera, confía en mí por favor, sólo…

Hashim me aporreó la cabeza con la culata de la pistola y tuve que callar. El impacto me aturdió por un momento pero no sentí dolor. Cuando volteé a ver otra vez a Lucy me di cuenta de que no se movía, sólo estaba hincada sin mirar a nada, mientras Ellman se acercaba otra vez a ella con el cuchillo.

Cerré los ojos.

Estábamos llegando. iBoy y yo estábamos llegando al ciberespacio, alcanzando la miríada de senderos que había entre las estaciones, de celda a celda, de celular a celular, alrededor del mundo. Estábamos conectándonos, conectándonos a miles de teléfonos, a millones de teléfonos, a miles de millones, y comenzamos a tener acceso a todos y a conectarlos, a darles la instrucción de que debían marcar a los seis números que estaban en la bodega.

Abrí los ojos.

Sólo había pasado sólo medio segundo y Ellman acababa de rasgar el camisón de Lucy. Ahora estaba jalando lentamente el cuchillo hacia arriba para cortar la blanca tela. Pero Lucy seguía totalmente inmóvil.

Cerré rápidamente mis ojos una vez más y volví a mi interior. Traté de ignorar los latidos de mi corazón. Ya teníamos listas todas las llamadas, eran un millón, un millón de millones de llamadas que estaban a punto de realizarse. Sólo las estábamos manteniendo en espera, y al mismo tiempo, nos estábamos enfocando en la energía eléctrica con la que contábamos. La concentramos, la dirigimos, la enviamos a través de las ondas de radio de la bodega, y las dirigimos a las baterías de los seis teléfonos celulares. Los cargamos, los sobrecargamos: los sobrecargamos con cada gramo de energía posible.

Y cuando volví a abrir los ojos, supe de inmediato que *algo* pasaba. Bajo la amarillenta luz de la linterna pude ver que Ellman había rasgado por completo el camisón de Lucy por el frente y O'Neil la miraba ansioso. Ahora Ellman tenía el cuchillo junto al cuello de Lucy y la conducía hacia él, pero entonces, se paralizó de repente. Luego vi que, atrás de él, O'Neil se sorprendió por un segundo y luego miró hacia su bolsillo. Puso la mano sobre éste y luego la alejó de inmediato.

Su teléfono se estaba calentando.

Sucedía lo mismo con los teléfonos de los demás. Se veían agitados, comenzaron a mirar incrédulos sus bolsillos, y luego supe que tenía que cerrar los ojos por última vez y terminar con todo. Tenía que cerrar los ojos y reunirme con iBoy. Juntos les enviaríamos una descarga final de energía y liberaríamos todas las llamadas al mismo tiempo.

Y entonces, sólo tendríamos que desear.

Desear que estallaran los teléfonos.

Y que cuando estallara el de Hashim, no nos alcanzara.

Hicimos una pausa para realizar un ajuste final. Luego abrimos los ojos y liberamos la energía.

Las cuatro explosiones sucedieron casi de manera simultánea. ¡BOOM! ¡BOOM! ¡BOOM! ¡BOOM!, y un instante después, sentí que algo me golpeaba con violencia. Por un momento pensé que la explosión de Hashim *sí* me había alcanzado, pero el dolor había sido mínimo. Cuando escuché el lamento de agonía y miré al suelo, vi a Hashim tirado. La parte posterior de sus pantalones había desaparecido, junto con todo su trasero. Entonces comprendí que la explosión lo había levantado del piso y que lo que me había golpeado había sido su cuerpo al caer.

Era un asco, había sangre por todos lados y trozos de piel quemada tirados en el suelo. Desde donde estaba pude ver la punta de un hueso roto que le salía a Hashim del sangriento y chamuscado cráter que tenía en el trasero.

Pero yo no tenía tiempo para mortificarme por eso.

Miré hacia arriba y revisé la bodega para asegurarme de que Tweet, Gunner y Marek también hubieran quedado fuera de combate. Cuando vi que todos estaban heridos de seriedad o posiblemente muertos, como en el caso de Gunner, volteé hacia donde estaban Ellman, O'Neil y Lucy.

Ella seguía arrodillada y miraba la carnicería que la rodeaba con completa incredulidad. Ellman y O'Neil sólo estaban parados flanqueándola, demasiado conmocionados para moverse. Sin embargo, yo sabía que la impresión no les duraría para siempre, en particular a Ellman. Tenía que actuar pronto.

—¡*Lucy!* —grité de repente— ¡*LUCE!*

Cuando Lucy salió del estado de shock y me miró, vi que Ellman también volteaba en mi dirección.

—¡*Muévete*, Lucy! —grité— ¡*Aléjate* de él!, ¡*AHORA!*

Ellman se recuperó del shock con mucha rapidez y volteó a ver a Lucy. Trató de sujetarla antes de que se moviera pero no lo hizo a tiempo. Lucy ni siquiera se había tomado la molestia de ponerse de pie, sólo se aventó hacia a un lado y giró por el piso. Ahora se estaba poniendo de pie con dificultad y dando de tropezones por la bodega para llegar hasta mí.

—¡Detenla! —le gritó Ellman a O'Neil.

O'Neil titubeó por un instante pero luego se lanzó tras de ella. Supongo que ése fue el momento en que pude haberles gritado y advertido. Pude haberle dicho a O'Neil que dejara de correr y que se quedara en donde estaba. Luego pude haberles recordado a ambos lo que les acababa de hacer a los otros y pedirles que se preguntaran por qué no les había sucedido lo mismo a ellos. Pero tarde o temprano se darían cuenta de que la única razón por la que no había hecho que explotaran *sus* teléfonos era porque estaban demasiado cerca de Lucy.

Pude haberlo hecho.

Pero no lo hice.

Sólo cerré mis ojos por un instante para hacer lo que tenía que hacer y los abrí de nuevo para ver cómo explotaba la parte frontal de los pants de O'Neil. ¡BOOM! Fue como si las piernas se le hubieran torcido y desatornillado mientras corría; se le vencieron en medio de un baño de sangre y luego se desplomó gritando y gimiendo mientras se sujetaba la entrepierna. En ese momento, Lucy cayó al suelo junto a mis pies sin aliento y sollozando, con las rodillas llenas de cortadas y sangre. Nos miramos y sonreímos en medio de la aflicción, luego miré hacia arriba para ver a Ellman. No se había movido todavía, sólo estaba de pie viendo con curiosidad a O'Neil. Creo que en ese momento supo que todo había terminado, que le había llegado su hora.

Y estaba en lo correcto.

Esperé a que me mirara, y cuando lo hizo, cuando fijó sus vacíos ojos azules en los míos, me encontré con su mirada durante un segundo o dos.

Y luego observé, sin emoción alguna, cómo explotaba su pecho.

11001

Fragmentos una vez más.

Fotos.

Momentos inconexos.

...Lucy poniéndose de pie con las rodillas cortadas y ensangrentadas, su rostro plagado de heridas y moretones, su camisón desgarrado; nosotros sollozando sin parar.

...las manos de Lucy buscando algo, su silencio desesperado cuando trata de liberarme de la viga, cuando jala, retuerce y araña el alambre, cuando maldice porque el metal se le resbala entre los dedos.

—Mierda.

—Diablos.

—Maldito alambre hijo de...

...Lucy y yo de pie en la luz amarillenta, abrazándonos, aferrándonos el uno al otro; nuestros cuerpos temblorosos, las lágrimas derramadas, incapaces de hablar, sin deseos de hacerlo.

...y la carnicería a nuestro alrededor. Cuerpos, sangre, trozos de piel. Pero no podemos pensar en ello, no podemos mirarlo y no puede importarnos. Vivos o muertos, no podemos darnos el lujo de que nos importe.

Sólo debemos irnos.

Salir de aquí.

Dejarlos.

Irnos…

…caminando a casa en las primeras horas de la madrugada, temblando por el frío y el shock. Mi chamarra cubriendo el mutilado camisón de Lucy, y ella caminando trabajosamente con mis calcetines y mis tenis.

—¿Estás bien?

—Ajá… no.

Tomados de las manos, abrazándonos, ayudándonos.

—¿Todo bien?

—Ajá.

No podemos hablar de ello, de lo que sucedió, de lo que va a suceder, de lo que hice y de lo que significa. Es demasiado por ahora, es demasiado complejo y confuso. Son demasiadas preguntas sin respuesta.

No podemos hacerlo.

No ahora.

…Crow Lane, Compton House, luces azules titilando en la oscuridad, la policía por todo el lugar. Por poco no alcanzo a despedirme de Lucy cuando nos llevan a los interrogatorios.

Amar no es mirarse el uno al otro: es
mirar juntos en la misma dirección

ANTOINE DE SAINT-EXUPÉRY
Terre des Hommes (1939)

Preguntas. Eso fue casi lo único que hubo durante los dos días siguientes: preguntas de la policía, de los doctores, de Abue. ¿Qué sucedió?, ¿cómo pasó?, ¿quién?, ¿por qué?, ¿en dónde?, ¿cuándo?

¿Qué podía decir?

No lo sé…

No recuerdo…

No estoy seguro…

No tenían fin. Pregunta tras pregunta, hora tras hora, día tras día. No fue sino hasta la noche del jueves que por fin tuve tener un poco de tiempo para mí. Sabía que no sería mucho porque Abue solamente había salido a la tienda y la policía vendría más tarde a hablar conmigo. Por eso no desaproveché ni un minuto. Sólo tomé mi chamarra, salí del departamento y me dirigí a la azotea.

Y ahora, ahí estaba de nuevo, sentado solo en la orilla del mundo, viendo el atardecer. Era otra noche suave el aire se sentía fresco y quieto. En el cielo había capas de atardecer rojizo que brillaban con la promesa de los largos días de verano por venir. Sin embargo, sentado ahí en la azotea y mirando al horizonte, no podía ni siquiera imaginar que alguna vez llegarían otros días. Mañana, el próximo miércoles, el próximo mes, el próximo año... no quedaba nada para mí, nada. No había nada más allá del horizonte.

No para mí.

Mi mente estaba hecha pedazos.

Cerré los ojos y miré en mi interior.

Podía ver un pasado, los últimos días, ayer. Podía ver a Abue sentada junto a mí en el sofá de la sala, podía ver su cabello gris rasurado alrededor de la sutura en su cabeza, y podía escucharme contándole la mayor parte de lo que Ellman había dicho de mi madre: su hija. Podía ver las lágrimas en sus ojos cuando le pregunté si era verdad.

—Georgie no era una mala chica —me dijo con una triste sonrisa en el rostro— pero siempre fue un poquito salvaje y rebelde. A mí no me molestaba, claro, pero cuando tenía unos diecisiete años comenzó a llevar las cosas demasiado lejos. Ya sabes, se empezó a juntar con la gente incorrecta, a meterse en drogas...—Abue sacudió su cabeza cuando lo recordó—. Perdió el camino, Tommy, y ya sabes lo que pasa cuando uno pierde el camino en estos rumbos.

—¿Y conoció a Ellman?

Abue asintió.

—Él era *el* hombre, ¿sabes? Todos querían conocer a Howard Ellman porque él tenía las drogas, el dinero, los coches, las chicas —Abue suspiró—. Georgie pensaba que él era *emocionante*. Traté de explicarle cómo era ese hombre en realidad, pero no quiso escucharme.

—¿Entonces ella sí...? —le pregunté vacilante—. Es decir, ¿ellos...?

—¿Que si dormían juntos? —asintió de nuevo—. Georgie estaba fuera de sí la mayor parte del tiempo, ya no sabía lo que hacía.

—Ellman la llamó puta —le dije con calma.

Abue me miró con sus ojos llenos de lágrimas.

—Tu mamá cometió muchos errores, Tommy. Como ya te expliqué, había perdido su camino. Pero al final, ella volvió a encontrarse. Cuando se enteró de que estaba embarazada, puso orden en su vida. Dejó las drogas, se alejó de Ellman y, ¿sabes?, se necesita mucho valor para hacer eso. —Abue hizo una pausa y puso su mano sobre mi bra-

246

zo—. Ella era tu madre Tommy, si todavía estuviera viva, te amaría tanto como yo lo hago, y tú también la amarías a ella.

Nos podía ver abrazándonos, llorando incontenibletente; podía escucharla diciendo que lo sentía, escucharla decirme, una y otra vez, que sentía no haberme dicho antes la verdad acerca de mamá. Podía escucharla tratando de explicar que no me había ocultado la verdad porque estuviera avergonzada de mamá o algo así, sino sólo porque no creía que conocer los detalles sórdidos de su vida me haría algún bien.

Pude entender su punto de vista.

Porque, de la misma manera, yo no creía que a Abue le haría algún bien enterarse de todas las porquerías que Ellman había dicho acerca de mamá. Abue no necesitaba saber que tal vez Ellman la mató, o que podría, que él podría... ser mi padre.

Ella no necesitaba todo ese dolor.

Por eso me lo guardé.

Lo guardé en mi interior.

También podía ver el presente. Podía ver dos cuerpos muertos en la morgue. El de Gunner, con la mitad del pecho destrozado, y el de Eugene O'Neil. La explosión del teléfono de O'Neil había cortado su arteria femoral, por lo que murió desangrado en el piso de la bodega.

Podía ver a Hashim y a Marek en sus camas del hospital. Ambos heridos de gravedad y marcados de por vida. Pero tal vez, por lo menos, con la posibilidad de *vivir*.

Las heridas de Tweet eran tan severas que si sobrevivía, sería un milagro.

¿Y Howard Ellman?

No lo podía ver.

Después de que le practicaron una cirugía de emergencia en el pecho, corazón y los pulmones, lo llevaron al área de cuidado intensivo de un hospital privado del Oeste de Londres. A pesar de que su estado era crítico y de que afuera de su puerta del hospital había oficiales de guardia, esa noche logró escapar y desaparecer sin dejar huella. La policía no sabía cómo lo había logrado ni en dónde se encontraba; yo tampoco. Sin embargo, la opinión médica que prevalecía era que sin los cuidados médicos profesionales, o incluso contando *con* ellos, estaría muerto dentro de las veinticuatro horas subsecuentes.

Abrí los ojos y recordé la absoluta insensibilidad que me invadió cuando vi el pecho de Ellman explotar, y me pregunté si seguiría sintiendo (o *no* sintiendo) lo mismo. Por Ellman, O'Neil y los otros, muertos o vivos.

¿Me importaban?

¿Sentía algún remordimiento, culpa o vergüenza?

La respuesta, aunque no me gustara, era no.

Y *no* me gustaba.

Cerré los ojos otra vez para tratar de sentir la presencia porque sabía que siempre estaría ahí. Siempre podía ver a Lucy en mi mente. Sus ojos de atardecer, sus labios, su sonrisa, sus lágrimas que ahogaban. Pero mi mente no era la realidad, mi mente no era la verdad, y la verdad era que no sabía cómo podría volver a estar con Lucy otra vez. ¿Por qué querría ella estar conmigo? Si por mi culpa estuvo a punto de ser violada y asesinada. La había colocado exactamente en el mismo infierno por el que ya había pasado. Le fallé y no pude protegerla. Le mentí, la engañé, la traicioné, ¿y todo para qué?, ¿por venganza?, ¿para *sentirme* mejor?, ¿para sentirme como un héroe?

Mierda.

No era ningún héroe.

Jamás lo fui.

No fui nada.

No le hice bien a nadie.

Era un fenómeno.

Un mutante.

Un asesino.

Me estaba volviendo loco.

Y lo peor de todo era que mi corazón se había vuelto de hielo.

Me había perdido.

No importaba lo que hiciera, jamás podría volver a ser Tom Harvey otra vez. Aunque le confesara la verdad a todos, a Abue, a la policía, al doctor Kirby. Jamás podría deshacerme de iBoy. Ahora estaría conmigo para siempre porque él era yo y yo era él. Tarde o temprano, de manera *inevitable*, todo el mundo se enteraría acerca de nosotros, y cuando eso sucediera, nuestra vida en verdad se convertiría en un show de fenómenos.

No estaba seguro de poder vivir así.

Y a pesar de todo lo que mi mente racional me decía, no podía dejar de pensar en la improbable posibilidad de que Ellman no me hubiera mentido, de que en realidad fuera mi padre. Cada vez que pensaba en eso, recordaba lo que le había dicho en la bodega: "Si fueras mi padre, me suicidaría".

Volví a abrir los ojos y miré hacia abajo desde la orilla de la azotea. Estaba treinta pisos arriba, era un largo camino hasta abajo, y cuando miré en la oscuridad, comencé a imaginarme allá abajo, el día en que todo sucedió, todas esas semanas atrás. Regresando a casa de la escuela, sintiéndome como casi siempre me sentía, más o menos bien, pero no genial; solo, pero no solitario. Pensando en Lucy y preguntándome de qué querría hablarme, y luego escuchando el grito desde arriba, volteando para ver cómo el iPhone atravesaba el cielo azul hacia mí.

Y ahora, al mirar desde la azotea y recordar el pasado, sucedió algo muy extraño. De repente cambió mi perspectiva y, en lugar de verme como yo mirando el iPhone, me pude ver como el iPhone mismo, atravesando el cielo hacia el otro yo, el yo que estaba abajo. Sólo que ahora el cielo ya no era azul sino negro. Era de madrugada y no había sucedido hace varias semanas: eso sucedía ahora.

En ese preciso momento.

Y caía, caía, caía, caía, por la silente oscuridad, aventado hacia el olvido.

Y en el piso, abajo, podía alcanzar a divisar algo.

Era una luz.

Justo afuera de la entrada al edificio, treinta pisos abajo, alguien iba en bicicleta por la plaza. Cuando me asomé a la orilla de la azotea, pude ver que la luz del frente de la bicicleta se movía por el piso, justo debajo de mí. Y entonces, de repente, me vi caer de nuevo, sólo que ahora ya no era el iPhone, era yo mismo, Tom Harvey, era iBoy, era ambos. Y caíamos desde la azotea como una piedra, cayendo, cayendo, cayendo, directo a la luz del ciclista desconocido. Sabía que caeríamos justo sobre él o sobre ella. La cabeza caería primero, y entonces nuestro iCráneo abriría su cráneo y los fragmentos de iCráneo y de otras secciones nuestras, lacerarían su cerebro.

Cuando me asomé todavía más, casi lo suficiente para caer, me escuché reír. Creí que era yo quien reía porque era la única persona que estaba ahí y porque sonaba ligeramente como yo. Además, podía sentir que mi garganta se movía y mis cuerdas vocales vibraban.

Sí, definitivamente era yo.

Me estaba riendo.

No sabía por qué.

Por alguna razón, la risa me hizo sentir sumamente triste, entonces dejé de reír y comencé a llorar, a sollozar sin control. Las lágrimas salían de mí como un río, como las lágrimas de un niño asustado.

No quería morir.

Pero tampoco quería vivir.

Sencillamente no *sabía*.

—¿Tom?

La voz venía de atrás de mí.

Esperé un momento, traté de recobrar mi equilibrio, me enjugué las lágrimas, y luego giré lentamente y miré hacia arriba. Ahí estaba ella, mirándome con un gesto de preocupación.

—Hola, Luce —dije.

—¿Estás bien? —me preguntó con sutileza—. No luces muy bien.

Resollé, volví a limpiarme las lágrimas y le sonreí.

—Estoy bien, es sólo que estaba, pues ya sabes, pensando.

—Sí, lo sé —dijo y se sentó junto a mí—. Ha sido demasiado, ¿verdad?

—Sí, podría decirse.

—Bien, acabo de decirlo.

La miré.

Me sonrió.

—Tienes mocos en toda la cara, ven aquí —sacó un pañuelo de su bolsillo, lo lamió y comenzó a limpiar el moco y las lágrimas de mi rostro. Me estremecí un poco cuando limpió cerca de la cortada que tenía en la frente—. Lo siento —dijo, moviendo la cabeza—. Vaya, estás hecho un desastre.

—Tú tampoco te ves fabulosa —dije, mirando las cortadas y los moretones que tenía en la cara.

—Muchas gracias.

—Por nada.

—Listo —dijo mientras daba los últimos toques—, así está mejor.

—Gracias.

Asintió y se deshizo del pañuelo. Se quedó quieta unos segundos. Luego, sin mirarme, me dijo en un tono totalmente apacible:

—No estarías pensando en saltar de la azotea, ¿verdad?

—¿Qué?

—Porque si acaso lo estabas haciendo... —me miró y de pronto pude ver enojo en sus ojos— Escúchame, Tom Harvey, ya sé que acabas de pasar por muchas cosas estos días, ambos lo hicimos. También sé que es muy probable que te sientas demasiado confundido por todo el asunto de iBoy, por todo lo que traes en la cabeza y todo lo que has tenido que enfrentar —hizo una pausa y acercó su cara hasta la mía y me dijo, en un tono lento y deliberado—:

Si alguna vez te cacho *pensando siquiera* en suicidarte... bueno, pues puedes creerme: me voy a asegurar de que se la última cosa que hagas jamás.

Nos quedamos mirando por un rato y cuando la intensidad de la mirada de Lucy taladró la mía con un dolor casi físico, la verdad es que ni siquiera podía estar seguro si *sí* había querido saltar o no. No sabía si habría *podido* hacerlo.

No podía saberlo.

Lo único que me quedaba claro y lo único que importaba era que *no* lo había hecho y que Lucy estaba ahí, sentada junto a mí.

La miré sonriendo.

—¿Será la última cosa que haga jamás?

Sacudió la cabeza.

—No es broma, Tom, estoy hablando en serio.

—Lo sé, pero estás como diciendo que si alguna vez me sorprendes pensando en suicidarme, me vas a matar, y eso anula el objetivo de mi suicidio, ¿no crees?

Lucy no podía dejar de sonreír.

—Ajá, correcto Señor Súper Cerebro, me confundí un poquito.

—¿Un *poquito*?

Me miró sonriendo todavía, pero detrás de su sonrisa se ocultaba una preocupación genuina. Eso fue muy importante para mí, de hecho, fue lo más importante.

—Lo siento, Luce —le dije en voz baja mirándola.

—Está bien, siempre me confundo.

—No, estoy hablando de todo —comencé a llorar—, de verdad lo siento *tanto*...

—Shhh —dijo con delicadeza y puso la punta de su dedo en mis labios—. No tienes por qué preocuparte, no tienes que hacer nada, sólo tienes que estar conmigo, ¿okey? —retiró su dedo, se inclinó y me besó—. ¿De acuerdo?

—Susurró—: Sólo quédate conmigo.

Asentí en medio del llanto.

Lucy sonrió.

—Vamos a ponernos cómodos.

Se recostó lentamente sobre el techo y miró directo al cielo. Yo no me moví, sólo me quedé ahí sentado mirando cómo moría el horizonte, preguntándome si tal vez, después de todo, habría algo allá afuera para mí; si tendría un futuro más allá del horizonte...

Y luego Lucy me dio unas paraditas en el trasero, y dijo:

—Oye, Súper Cerebro, me siento sola aquí.

Me coloqué junto a ella y me tomó de la mano. Nos quedamos acostados ahí, en medio de un silencio de ensueño y mirando las estrellas.

Me gustaría agradecer a Dave Brooks, Helen Fernandes, Nitin Patel y Sanj Bassi, por su invaluable ayuda y asesoría ténica.

Les iAgradezco.

Reconocimientos

El editor y la casa editorial desean agradecer los permisos que recibieron para reproducir en este libro material protegido por derechos de autor. Nos hemos esforzado por ubicar a los titulares de los derechos y ponernos en contacto con ellos; no obstante, en algunos casos nos fue imposible. El editor y la empresa ofrecen disculpas por los casos en los que se haya cometido alguna falta involuntaria, y agradecerán que los titulares, cuyos derechos no hayan sido reconocidos, nos lo hagan saber.

Artículo de Rose George en el periódico *Guardian* en Internet, derechos reservados, Rose George, 2004, reimpreso con permiso del autor; pasaje de Arthur Koestler de *The Ghost in the Machine*, derechos reservados, Arthur Koestler, 1975, se reproduce con permiso de PFD (*www.pfd.co.uk*) en representación de La propiedad de Arthur Koestler; "Broken" Words & Music, de Randy James Bradbury, Fletcher Dragge, Jim Lindberg & Byron McMackin, derechos reservados, Songs Of Universal, Inc., en representación de Westbeach Music (75%). Todos los derechos reservados. Derechos internacionales reservados. Usados con la autorización de Music Sales Limited; *Supersizing the Mind*, derechos reservados, Andy Clark, reimpreso con el permiso de OUP; "Electricity is Human Thinking", derechos reservados, H. Bernard Wechsler, reimpreso con el permiso del autor; *One Blood* de John Heale, derechos reservados, John Heale, reimpresos con el permiso de Simon & Schuster; definición de algoritmo, citada del artículo titulado ALGORITMO, *http://en.wikipedia.org/wiki/Algorithm*, disponible bajo los términos de *http://creativecommons.org/licenses/by-sa/3.o/*; definición de Taser, citada del artículo titulado TASER, *http://en.wikipedia.org/wiki/Taser*, disponible bajo los términos de *http://creativecommons.org/licenses/by-sa/3.o/*; el fragmento de "since feeling is first" se reimprime de COMPLETE POEMS 1904-1962, de E. E. Cummings, editado por George J. Firmage, con permiso de W. W. Norton & Company. Derechos reservados 1991 por el fideicomisario de la Propiedad de E. E. Cummings y George James Firmage; *The Gang*, de Frederic Thrasher, derechos reservados, Frederic Thrasher 1927, reimpreso con el permiso de Chicago University Press; *The River of Eden*, derechos reservados, 1996, Richard Dawkins. Reimpreso con el permiso de Basic Books, miembro de Perseus Books Group; *Terre des Hommes*, de Antoine de Saint-Exupery, derechos reservados, Antoine de Saint-Exupéry 1939, reimpreso con el permiso de Penguin Books.

KEVIN BROOKS nació en Exeter, Devon. Estudió en Birmingham y Londres. Antes de, felizmente, renunciar a todo y dedicarse a escribir libros, trabajó en un crematorio, un zoológico y una oficina de correos. Kevin ha escrito nueve novelas, es un autor galardonado y vive en North Yorkshire.